PILATES
para el embarazo

JAN ENDACOTT

PILATES
para el embarazo

Ejercicios ligeros para el embarazo y el postparto

Grijalbo

Jan Endacott tuvo una exitosa carrera como bailarina profesional antes de convertirse en monitora personal especializada en gimnasia femenina. Jan, madre de dos hijos, es profesora experta de Pilates, entrenadora de gimnasia de mantenimiento y psicóloga deportiva. Sus programas de ejercicio han ayudado a muchas mujeres a alcanzar un buen estado físico antes, durante y después del embarazo.
Es la autora de *The Fitball Workout*.

Título original: *Pilates for Pregnancy*

Publicado por primera vez en Gran Bretaña por Hamlyn en 2007

© 2007, Octopus Publishing Group
© 2007, Random House Mondadori, S.A.,
  por esta edición
  Travessera de Gràcia, 47-49. 08021 Barcelona
© 2007, Daniel Menezo, por la traducción

Coordinación editorial: Bettina Meyer
Fotocomposición: Víctor Igual, S.L.

ISBN: 978-84-253-4071-0

Impreso y encuadernado en China

GR 4 0 7 1 0

ADVERTENCIA

Antes de iniciar cualquier programa de ejercicios, es aconsejable que consultes con tu médico. No debes considerar el método Pilates como sustituto de un tratamiento médico profesional. En todo lo relativo a la salud, y especialmente al embarazo y a cualquier síntoma que pudiera requerir un diagnóstico o atención facultativa, hay que consultar con un médico. Si bien consideramos que los consejos y la información contenidos en este libro son correctos, y que las instrucciones que se dan en él van destinadas a evitar tensiones excesivas, ni el autor ni el editor pueden aceptar la responsabilidad legal por cualquier lesión que se produzca durante la ejecución de los ejercicios.

SUMARIO

INTRODUCCIÓN

¡Enhorabuena por leer este libro! Eso significa dos cosas muy importantes. Primero, que estás embarazada; y segundo, que quieres mantenerte sana y en forma antes y después del nacimiento de tu bebé. La suavidad de los ejercicios de Pilates hace de este método la elección ideal para entrenarse durante el embarazo, porque te ayudará a mejorar y conservar tu forma física y te evitará problemas de salud.

El embarazo es un período fascinante, durante el cual, y a medida que va pasando el tiempo, la forma de tu cuerpo y sus necesidades cambian sin cesar. Los cambios suponen exigencias nuevas y diferentes para tus músculos y tus articulaciones, de modo que es esencial que tu rutina gimnástica se adapte para ir haciendo frente a esos requerimientos.

El método Pilates es la forma ideal de ejercicio para que tu embarazo y el parto sean más cómodos; se centra en la estabilidad abdominal, el suelo pélvico y el fortalecimiento y la tonificación suave de los músculos. Fomenta la concentración y te permite desarrollar una relación única con tu cuerpo mientras haces ejercicio, lo cual es especialmente importante durante el embarazo. El método Pilates no solo te ayuda a mejorar tu resistencia, sino también tu equilibrio, tu coordinación y la calidad de tus movimientos, sin forzar tus articulaciones.

Este método, que enfatiza la adopción de una postura correcta (la cual puede verse afectada negativamente durante el embarazo), te ayudará a evitar las lumbalgias, los hombros caídos y la tensión cervical. Tu embarazo es la ocasión perfecta para introducir cambios que mejoren tu vida, y este libro contribuirá a que saques el máximo provecho a ese período tan especial.

LOS BENEFICIOS DEL MÉTODO PILATES

- Pilates es un método extremadamente seguro y eficaz para hacer ejercicio durante el embarazo. Al centrarse en los músculos posturales, mejorarás tu estabilidad central y la fuerza del suelo pélvico, lo cual te ayudará a mantenerte erguida y a evitar el dolor de espalda.

- Practicar ejercicios de Pilates durante el embarazo tonifica mucho tus abdominales. Unos abdominales más fuertes ofrecen mayor apoyo al cuerpo, y permiten que tu columna se estire. Mejorar tu postura hace que el bebé disfrute de más espacio.

- El método Pilates lo respetan y recomiendan muchos profesionales de la medicina. Los ejercicios de tonificación y fortalecimiento, especialmente adaptados a tu estado, te ayudan a aliviar los dolores y molestias que suelen asociarse con los cambios que tienen lugar en tu cuerpo.

- Los ejercicios de Pilates favorecen la circulación. Todos los movimientos nacen de tus músculos abdominales y mejoran el riego sanguíneo en esa zona, lo cual es bueno para tu bebé.

- La relajación y los efectos tranquilizantes que producen los ejercicios de Pilates durante el embarazo pueden beneficiar el desarrollo y la salud de tu bebé.

- Gracias al cuidadoso enfoque de los ejercicios, el método Pilates te permitirá conocer mejor tu cuerpo. Aprenderás a relajarte y a respirar correctamente, preparándote así para el trabajo de parto y el nacimiento de tu bebé.

- Si practicas estos ejercicios regularmente, durante y después del embarazo, te recuperarás bien del parto, y esto contribuirá a que recuperes la figura que tenías antes, gracias al programa posnatal.

LOS CAMBIOS EN TU CUERPO

No hay nada que te pueda preparar del todo para los cambios que experimenta tu cuerpo en un espacio de tiempo tan breve. Cada mujer vive el embarazo de una forma distinta, pero las transformaciones que se producen durante esos nueve meses tienen un origen hormonal. Si conoces bien los cambios que se irán produciendo, estarás más tranquila.

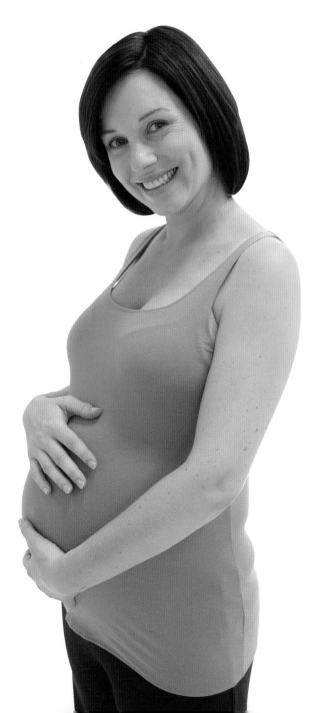

LAS HORMONAS

Las principales hormonas que ayudan a crear las circunstancias perfectas para el embarazo y para el desarrollo de tu bebé son el estrógeno y la progesterona. Los niveles de estas hormonas se incrementan mucho, y tus músculos van cediendo hasta crear el entorno más adecuado para tu bebé.

Otra de las hormonas que aumenta durante el embarazo es la relaxina, que hace que los ligamentos que proporcionan la estabilidad de las articulaciones se vuelvan más flexibles. Las articulaciones que mantienen unidos los huesos de la pelvis se aflojan y estiran, preparándote para el trabajo de parto y para el parto. Sin embargo, la estabilidad articular disminuye. Por tanto, es vital que mantengas una buena alineación de la espalda y una postura correcta. El método Pilates fomenta el control de los músculos abdominales, lo cual compensa el debilitamiento de los ligamentos, ayudándote a evitar problemas articulares frecuentes y tensión en la espalda.

Otras hormonas que aumentan son las endorfinas, que influyen positivamente en tu estado de ánimo. Estas hormonas no solo aumentan tu propia sensación de bienestar, sino que transmiten sus efectos positivos a través de la placenta y llegan hasta tu bebé. Si durante el embarazo estás nerviosa o estresada, el método Pilates también te enseña a relajarte y a respirar correctamente, para calmarte y reducir eficazmente el nivel de la hormona cortisol, que es posible que aumente en esta fase (véase «La técnica de respiración» y «La relajación» en las páginas 28 y 30).

EL AUMENTO DEL VOLUMEN SANGUÍNEO

Tu cuerpo, que va aumentando de tamaño, necesita producir más sangre. Al cabo de tres meses, tu volumen sanguíneo habrá crecido entre un 30 y un 40 por ciento, y tu corazón tendrá que trabajar mucho más para que toda esa sangre circule por tu cuerpo. Los ejercicios de Pilates no harán que aumente tu ritmo cardíaco, porque un esfuerzo excesivo puede provocar mareos. El ritmo cardíaco de tu bebé ya es mucho más rápido que el tuyo, de modo que es vital que no aceleres tu corazón.

LA CIRCULACIÓN

Los cambios hormonales también pueden afectar a las válvulas de tus venas que normalmente evitan la regresión de la sangre. A veces, esto puede producir varices y/o hemorroides, y el aumento de tu peso y del volumen sanguíneo exacerba este fenómeno. Los movimientos de Pilates te ayudan a potenciar el riego sanguíneo en las extremidades inferiores.

LA RETENCIÓN DE LÍQUIDOS

Durante el embarazo aumenta la cantidad de líquido linfático y amniótico, y de los fluidos presentes en todos los tejidos del cuerpo. El ejercicio regular contribuye a evitar que la acumulación de fluidos provoque trastornos como la retención de líquidos y la hinchazón (edema). A menudo, la carencia de agua provoca cansancio, dolor de cabeza, somnolencia y falta de concentración. Por eso, para asegurar una correcta hidratación, es esencial beber al menos ocho vasos de agua al día, y hasta doce si realizas algún ejercicio.

EL SISTEMA DIGESTIVO

Un síntoma desagradable que aparece pronto, son las náuseas o vómitos, que suele reducirse o desaparecer a mitad del embarazo. Para reducir las náuseas, procura que tu estómago no esté completamente vacío. Come pequeñas cantidades con cierta frecuencia, evita las cenas pesadas y mantén la ingesta de líquidos para impedir la deshidratación. Durante el embarazo, tus procesos digestivos se ralentizan, y esto suele provocar ardor de estómago, indigestión o estreñimiento. Una dieta equilibrada rica en alimentos frescos, no refinados ni elaborados, hará que tu bebé y tú gocéis de buena salud.

LAS TRES FASES DEL EMBARAZO

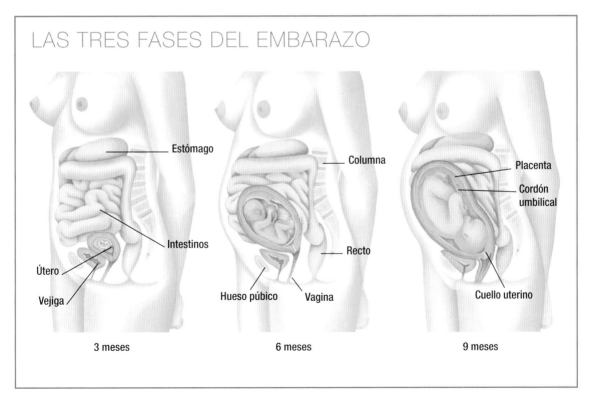

Estómago

Intestinos

Útero

Vejiga

Columna

Recto

Hueso púbico

Vagina

Placenta

Cordón umbilical

Cuello uterino

3 meses

6 meses

9 meses

EL AUMENTO DE LOS PECHOS

Al principio del embarazo, el volumen de tus pechos aumenta. Unos pechos más pesados añaden una nueva presión al torso y hacen que tus hombros se inclinen hacia delante y te encorves. Los ejercicios de Pilates reducirán la tensión en la parte superior de la espalda y en los hombros, y fomentarán la consciencia postural del cuerpo.

Un sujetador adecuado para tu nuevo volumen te ofrecerá el apoyo y la comodidad necesarios; es posible que, a lo largo del embarazo y durante el período de lactancia, necesites sujetadores de varias tallas.

LA SEPARACIÓN DE LOS MÚSCULOS ABDOMINALES

A medida que tu bebé va creciendo, tu útero se expande y los músculos de tu estómago se estiran. Los músculos rectos abdominales se estiran y se separan para permitir esa dilatación. Esta separación se llama *diastasis recti*, y la experimentan aproximadamente dos tercios de las embarazadas. Si es tu caso, no debes realizar los ejercicios tradicionales de encogimiento, porque ya no dispones del apoyo suficiente. Pilates te enseñará a trabajar tus músculos centrales para que puedas recuperar fácilmente tu figura.

LOS MÚSCULOS DE LA FAJA ABDOMINAL

El método Pilates se concentra en la zona media de tu torso, en los músculos posturales del centro de tu cuerpo. Este centro está compuesto por los músculos abdominales, la espalda y los glúteos. Los ejercicios de Pilates inician todos los movimientos desde esta zona central. Uno de los músculos más importantes es el que está en una zona profunda del abdomen y se llama «transverso abdominal». Dicho músculo parte de la pelvis y se inserta en la caja torácica y el diafragma, envolviendo tu zona central como un corsé. Este músculo ayuda a soportar el peso de tu bebé, y sirve de apoyo a tu columna. Un músculo transverso fuerte evitará que tu pelvis se incline demasiado hacia delante, lo cual podría causarte molestias lumbares hacia el final del embarazo. También es el músculo principal usado durante el parto y, dado que «empujas» con él, necesitas fortalecerlo.

LA SEPARACIÓN DE LA SÍNFISIS PÚBICA

La sínfisis púbica une los huesos púbicos, situados en la parte delantera de la pelvis, y forma un cojín cartilaginoso para estabilizar la pelvis. Como preparación para el nacimiento del bebé, tu pelvis va cambiando

LA SEPARACIÓN DE LOS MÚSCULOS ABDOMINALES

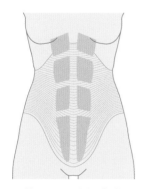

Transverso abdominal

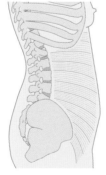

Músculos transversos que envuelven el cuerpo

Recto abdominal

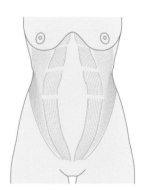

Separación de la diástasis

de forma a medida que la hormona relaxina permite que la articulación se afloje y se separe, facilitando así la expansión necesaria para que tu bebé nazca. Debes evitar cualquier actividad que provoque dolor en esta zona.

EL SUELO PÉLVICO

Los ejercicios se centran en el fortalecimiento y el equilibrio de los músculos centrales. Tu suelo pélvico forma parte integral de esa zona, y ayuda a soportar el útero, que va creciendo; por tanto, debe permanecer fuerte y elástico para satisfacer las demandas del embarazo y del período de dilatación. Los músculos del suelo pélvico van desde el hueso púbico en la parte delantera de la pelvis hasta el cóccix en la parte dorsal, y están a ambos lados del isquion; se trata de los «músculos de sentarse».

En torno a la uretra, la vagina y el ano hay un conjunto de ocho músculos llamado pubococcígeo. Fortalecer este grupo muscular ayudará a aliviar o evitar trastornos potenciales del intestino o la vejiga. Los fuertes músculos del suelo pélvico mantienen en su lugar tus órganos internos, contribuyen a detener las incómodas pérdidas de orina y facilitan el proceso de dilatación preparto. Los músculos tonificados no solo

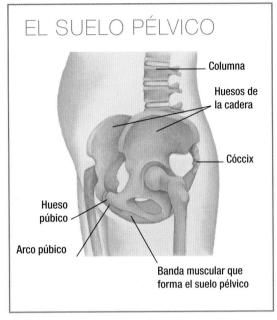

EL SUELO PÉLVICO

- Columna
- Huesos de la cadera
- Cóccix
- Hueso púbico
- Arco púbico
- Banda muscular que forma el suelo pélvico

son fuertes, también son más elásticos y, por tanto, pueden estirarse con facilidad cuando se libera la relaxina para permitir que los músculos del suelo pélvico se estiren y relajen durante el parto. Esto permite que el proceso de dilatación y el parto sean una experiencia más agradable. Tener unos músculos firmes en el suelo pélvico ofrece numerosos beneficios.

LOS BENEFICIOS DE UN SUELO PÉLVICO FUERTE

- Mejora la capacidad de estirarse y relajarse durante el parto.

- Aumenta el riego sanguíneo en la zona pélvica.

- Fomenta la recuperación y la curación rápidas, permitiendo recobrar el tono muscular después del parto.

- Evita la incontinencia derivada del estrés.

- Aumenta las sensaciones sexuales.

- Soporta los órganos pélvicos.

- Previene una mala alineación de la cadera y de las articulaciones sacroilíacas (que forman una conexión entre la parte posterior de la pelvis y los huesos de la cadera).

- Ayuda a prevenir los problemas intestinales y de la vejiga, que podrían aparecer pasados unos años.

- Fomenta la estabilidad de las partes vitales.

Para descubrir maneras de fortalecer el suelo pélvico, sigue los ejercicios que encontrarás en las páginas 32-33.

EL CUIDADO POSTURAL

Uno de los primeros cambios que experimentarás es la alteración de tu postura corporal, que suele provocar dolor de espalda. Este capítulo te proporcionará habilidades y técnicas esenciales para tomar consciencia de tu postura, con objeto de mejorarla, y para proteger tu columna vertebral durante las distintas actividades cotidianas.

Una postura correcta es vital para proteger tu columna antes, durante y después del embarazo. Durante el embarazo, el peso y el tamaño de tu cuerpo, que van aumentando, junto con la carga que llevas en la parte delantera, contribuyen a hacer que crezca la tensión en tu zona lumbar. Esto puede inducirte a compensarla adoptando una mala postura de la columna superior. Cuando se altera tu equilibrio, cambia tu centro de gravedad (véase el diagrama inferior). Pilates te permitirá identificar los músculos clave para adoptar la postura correcta, y te enseñará a usarlos sin tensión o sin hacer movimientos forzados. Tu recompensa será un cuerpo equilibrado, que proyectará una imagen de armonía, elegancia y agilidad.

LA CONSCIENCIA DEL CUERPO

Nuestras emociones influyen directamente sobre nuestra postura. Imagina qué postura adopta una persona cuando

LA POSTURA

Durante el embarazo aumentarás de peso considerablemente (puede que hasta 14 kg), y llevarás ese volumen en la parte delantera de tu cuerpo. Tus pechos, más pesados, tirarán de tus hombros hacia delante, lo cual provocará que estos se venzan; mientras que tu abdomen, que aumentará de tamaño, desplazará tu centro del equilibrio hacia delante y hacia arriba. La curvatura normal de tu columna se acentuará, de modo que tu espalda se hundirá y sentirás dolor en la zona lumbar. Por tanto, el control y la estabilidad de tus músculos en torno a los órganos vitales son esenciales. Una buena postura te proporciona beneficios durante toda la vida, y te hace parecer y sentirte confiada, al mismo tiempo que te protege de dolores y tensiones. Comprueba cuál es tu postura habitual mirándote de lado en un espejo.

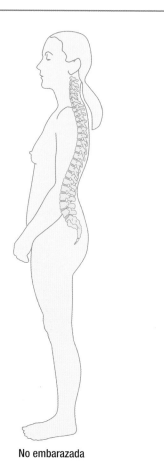
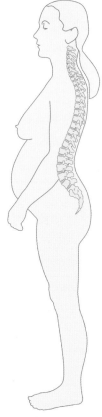

No embarazada   Embarazada

le falta confianza: es probable que te venga a la mente la figura de alguien con la cabeza baja, la mirada perdida en el suelo y unos hombros cargados hacia delante. Seguramente, al pensar en alguien que tiene un exceso de confianza en sí mismo, o que es incluso arrogante, te imaginarás una barbilla alta y unos hombros rectos. Una persona tremendamente cansada puede tener la cabeza gacha y los hombros encorvados, y caminará como desmadejada. Estos ejemplos demuestran cómo la postura ofrece un reflejo de nuestros sentimientos más profundos, anunciando al mundo cuál es nuestra disposición y nuestra personalidad.

Las páginas siguientes te ayudarán a ser consciente de cuál es tu postura y el lenguaje postural con el que hablas al mundo. Puede que esto conlleve cambiar muchos de los malos hábitos posturales que has adoptado sin ser consciente. Las malas costumbres (como andar cabizbajos; sentarse descansando el peso sobre una cadera; echar adelante los hombros al caminar; estar de pie, inclinarse y llevar peso incorrectamente) pueden corregirse mediante una reeducación de tu memoria muscular. Esto te llevará a crear una consciencia de ti misma, automática e instintiva.

Las bailarinas son ejemplos perfectos de las personas que tienen una consciencia automática. Parecen tener una gracia natural cuando están de pie o caminan, ¡e incluso cuando van de compras! Esto se debe a que han ensayado y practicado metódicamente sus movimientos y acciones, hasta que estas se convierten en algo subliminal. Su memoria muscular se programa para moverse por instinto con una buena postura, con gracia y con facilidad.

Los movimientos de Pilates siguen los mismos principios que los ejercicios controlados y pensados que utilizan los bailarines. Te ayudarán a ser consciente de tu cuerpo por medio de patrones de movimiento fáciles

y estructurados, que se centran en la postura y en la correcta alineación física; estos patrones se incorporarán a tus movimientos y actividades cotidianas. Mantener una postura correcta contribuirá a evitar el dolor de espalda y la presión excesiva sobre las articulaciones, síntomas propios del embarazo. También te hará sentir más confiada y positiva, aumentará tu vitalidad y potenciará tus niveles de energía.

LA BUENA POSTURA DE PIE

Para conseguir una postura correcta durante el embarazo, tienes que hacer lo siguiente:

- Ponte de pie con los pies alineados con las caderas, distribuyendo el peso del cuerpo entre tus dedos gordos, tus meñiques y tus talones (imagina un trípode).

- Relaja las rodillas.

- No tenses los glúteos.

- Asegúrate de que tu pelvis mantiene una alineación neutra (es decir, que no se inclina demasiado ni hacia delante ni hacia atrás); deja que el cóccix descienda hacia el suelo.

- Deja colgar los brazos a los lados del cuerpo, y relaja las costillas; debes sentir que existe un espacio dilatado entre tus omóplatos y en tu pecho.

- Libera cualquier tensión cervical, y relaja y ablanda los músculos de las mandíbulas; imagina que hay un cordel sujeto a tu coronilla que tira de tu cabeza hacia el techo.

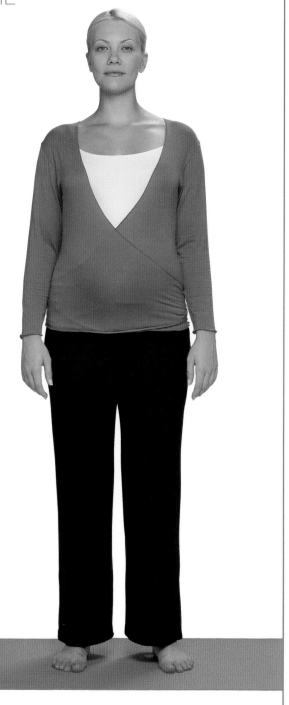

CAMINAR CON SOLTURA

Caminar es la forma más natural de movimiento, y aumentará la circulación sanguínea en tus piernas. Para mantener la postura correcta, sigue estas pautas:

- Usa calzado cómodo y, cuando camines, procura que todas las partes del pie entren en contacto con el suelo; no te pongas tacones, dado que estos te desviarán del eje postural central.

- Cuando camines, balancea suavemente los brazos sin tensar las manos, el cuello o los hombros.

- Si no puedes evitar estar de pie durante mucho rato, mueve los pies encogiendo y extendiendo los dedos; luego, ponte de puntillas, o camina sin moverte del sitio, para permitir la circulación y para evitar posibles calambres.

LA POSTURA CORRECTA SENTADA

Cuando te sientas en la postura correcta, tu columna adopta una forma de S suave. Después de estar un tiempo sentada, tu postura se va deformando a causa de la gravedad, y acabará adoptando la forma de un plátano. Lamentablemente, las sillas mullidas y blandas hacen que tu columna adopte este mal hábito. Para mantener una postura correcta cuando estés sentada, debes hacer lo siguiente:

- Asegúrate de que tu espalda esté bien apoyada; si es necesario, usa un pequeño cojín o una toalla enrollada y situada en la zona lumbar, para apoyar la parte baja de la espalda.

- Pon los pies planos sobre el suelo.

- Yergue la cabeza, manteniendo la columna con la forma de S suave y relajando los hombros para evitar tensiones.

- Evita cruzar las piernas y mantén la parte de atrás de las rodillas un poco separada de la silla, para evitar la mala circulación.

- Si estás en un entorno laboral, asegúrate de que tu silla tiene una altura y un ángulo que se puedan regular; cuando uses un ordenador, la altura correcta es cuando tus muñecas y antebrazos están paralelos a la superficie del teclado o están ligeramente por encima.

CÓMO PONERSE EN PIE

- Asegúrate de que tienes los pies alineados con las caderas, con uno de ellos ligeramente adelantado.

- Inclínate hacia tus muslos y ponte en pie usando la fuerza de tus piernas, no la de tu espalda.

AGACHARSE Y COGER COSAS CORRECTAMENTE

- Cuando tengas que levantar algo que está en el suelo, agáchate usando solo las rodillas, mientras mantienes la espalda todo lo recta que puedas.

- Mantén la carga lo más cerca del torso posible, y usa los fuertes músculos de las piernas para levantarte, estirándolas progresivamente.

- Sostén el peso con ambas manos; si pesa demasiado, ¡pide que lo coja otra persona!

- Cuando lleves bolsas de la compra, distribuye el peso equitativamente entre ambas manos, para contribuir al equilibrio y evitar las tensiones.

- Todas las tareas que hay que hacer en casa o en el jardín al nivel del suelo, son más fáciles si te sientas a la altura que requiere el trabajo: en el suelo. Esto evitará que estés agachada innecesariamente durante mucho tiempo.

CÓMO SENTARSE CUANDO ESTÁS TUMBADA

Si estás tumbada y quieres levantarte, debes tener cuidado siempre para no forzar la columna, sobre todo durante la última fase del embarazo, que es cuando hay más presión sobre los músculos abdominales. Cuando te sientes, evita cualquier movimiento brusco. Los ejercicios de Pilates te ayudarán a desarrollar el control sobre los movimientos suaves. Las almohadillas inflables y los cojines son estupendos para relajarse, porque ayudan a aliviar los dolores de las zonas lumbar y cervical. Cuando hayas hecho un ejercicio tumbada

y debas sentarte, también puedes usar la siguiente técnica:
- Mientras estás tumbada, rueda hacia uno de los lados e incorpora el torso apoyándote en un codo.
- Con las rodillas y los tobillos juntos, y con un movimiento suave y controlado, baja las piernas por un lado de la cama mientras levantas el cuerpo, ayudada por el peso de estas. Así quedarás sentada en la cama.
- Cuando estés tumbada, usa los brazos para ayudar a incorporarte.

CÓMO TUMBARSE Y PONERSE EN PIE SIN PELIGRO

Esta rutina de cuatro pasos te ayudará a tumbarte en el suelo y ponerte en pie con total seguridad. A medida que aumente el peso de tu bebé, es posible que detectes alteraciones en tu equilibrio, así que muévete lenta y deliberadamente.
Usa esta secuencia a partir del segundo trimestre del embarazo, y prolóngala hasta después del examen médico, a las seis semanas de haber nacido tu bebé.
Esta secuencia te ayudará a acelerar tu recuperación tras el parto.

- Mete el estómago hacia dentro. Flexiona las rodillas y baja el peso del cuerpo sobre una de ellas; luego, repártelo entre las dos.

- Mientras mantienes el estómago metido hacia la columna, coloca las manos sobre el suelo delante de ti. Ahora, siéntate de lado y flexiona ligeramente las rodillas hacia delante.

- Usando los codos como apoyo, ve inclinándote suavemente hacia el suelo. El movimiento debe ser fluido y controlado hasta que estés descansando sobre la espalda.

- Para ponerte de pie, rota el cuerpo sobre un costado, dobla las rodillas y usa las manos para quedarte sentada de lado. Rota lateralmente hasta apoyarte sobre manos y rodillas, y luego levanta una pierna y apoya en el suelo la planta del pie. Apoya las dos manos en el muslo de la pierna que hayas levantado y empuja sobre él para incorporarte.

LA SEGURIDAD ANTE TODO

Has elegido Pilates con el fin de que te proporcione todo lo necesario para garantizar a tu cuerpo un entorno sano y tranquilo, donde tu bebé pueda alimentarse y crecer. Si sigues las instrucciones y los consejos de seguridad, sacarás el máximo beneficio de los ejercicios durante ese tiempo tan especial en que esperas la llegada de tu bebé.

ALGUNOS DATOS SOBRE PILATES

Joseph Pilates, nacido en Alemania en 1880, ideó este método de ejercicios para ayudarse a superar sus propios problemas físicos, originados por una enfermedad que tuvo de niño. En 1912 se trasladó a Inglaterra, y, durante los años de la Primera Guerra Mundial, desarrolló su «sistema de control muscular» y sus famosos ejercicios realizados sobre una colchoneta. Su filosofía propugnaba coordinar la mente, el espíritu y el cuerpo para que trabajasen con los músculos del cuerpo, no «sobre» ellos.

CONSEJOS DE SEGURIDAD

- Si antes del embarazo no has practicado el método Pilates, es aconsejable posponer el inicio del programa hasta que estés en tu cuarto mes de embarazo, cuando no hay riesgos de perder el bebé.

- En los primeros meses es esencial que te entrenes suave y cuidadosamente, dado que el riesgo de aborto espontáneo es más alto.

Si eres una recién llegada al método Pilates, estás a punto de iniciar un método de ejercicios que mejorará tu postura, tu forma física, tu salud y tu bienestar general. Los movimientos tranquilos, controlados y fluidos te ofrecen el mejor método de entrenamiento durante tu embarazo, además de ayudarte a recuperar tu figura después de dar a luz.

Si eres nueva, deberías empezar con los ejercicios de Pilates después del cuarto mes de tu embarazo. Asegúrate de aprender los principios básicos y sigue la mayor parte del entrenamiento para el primer trimestre; en otras palabras, ¡empieza por el principio! Omite cualquier ejercicio que te exija tumbarte sobre el estómago, y cuando hagas un ejercicio tumbada sobre la espalda no lo prolongues más de tres minutos. Lee las «Pautas generales de entrenamiento» (véanse las páginas 22-23) para cerciorarte de que aprovechas al máximo tus entrenamientos con el método Pilates.

LA SEGURIDAD DURANTE EL EMBARAZO

Por lo general, durante el embarazo se aconseja a las mujeres que sigan con su rutina de ejercicios habitual, pero que no excedan el grado de intensidad con que los realizaban antes del embarazo. Sin embargo, lo más sensato es consultar con tu médico para que te dé alguna instrucción especial. Cada mujer es un mundo, lo cual quiere decir que tendrás que adaptar y modificar constantemente tu tabla de ejercicios para permitir los numerosos cambios hormonales y físicos que tendrán lugar durante tu embarazo.

Está bien tomar todas las precauciones posibles, ¡pero el embarazo no es una enfermedad! Hazte revisiones prenatales regulares para detectar cualquier alteración en tu cuerpo, y entonces podrás disfrutar de los beneficios que proporciona el ejercicio suave durante el embarazo, y estarás bien preparada para el proceso de dilatación, el parto y la maternidad.

Si padeces alguna enfermedad, trastornos o complicaciones asociadas con tu embarazo, debes consultar con tu médico antes de empezar los ejercicios. Si al hacerlos sientes dolor o incomodidad, o algún síntoma inusual, deja de entrenarte inmediatamente y consulta con un médico.

PAUTAS GENERALES DE ENTRENAMIENTO

Utiliza prendas anchas y cómodas, que no limiten tus movimientos. Ten un cuidado especial para no sudar demasiado durante los tres primeros meses de embarazo. Ponte un sujetador que proteja bien el pecho y que se ajuste a tu medida, para evitar la formación de estrías. Los ejercicios de Pilates se hacen mejor si vas descalza; si quieres ponerte calcetines, que tengan suela antideslizante.

EL EQUIPO

Para sacar el máximo rendimiento a tu programa Pilates, necesitarás algunos objetos que te indicamos a continuación:

- Una colchoneta gruesa de gimnasia
- Una silla firme sin apoyabrazos
- Una pequeña almohada plana o toalla doblada, más algunos cojines mullidos o almohadas
- Una esterilla de yoga
- Una bufanda larga y una banda elástica
- Una pelota de esponja y una pelota grande, blanda
- Un par de mancuernas de poco peso: 0,45 kg o 0,90 kg cada una

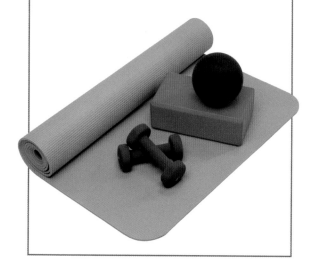

ELIGE LOS EJERCICIOS CORRECTOS

Los ejercicios propuestos han sido elegidos cuidadosamente para cada estadio del embarazo. Al principio de las secciones se ofrecen consejos y pautas concretas para cada fase de la gestación. Antes de empezar, lee el apartado «La seguridad ante todo» (véanse páginas 20-21), y si padeces una lumbalgia antes del embarazo, consulta a tu médico antes de hacer ejercicio.

CUÁNDO ENTRENARSE

El mejor momento para hacer ejercicio es al final de la tarde, cuando tus músculos ya están calientes gracias a las actividades cotidianas. Sin embargo, tal vez tu estilo de vida no te permita entrenarte a esa hora, porque estás en el trabajo, tienes niños a los que cuidar o, quizá, eres una persona más activa por las mañanas. A primera hora de la mañana cuesta más calentar los músculos, pero lo más importante es que encuentres una hora que te vaya realmente bien. Sea cual fuere esa hora, crea una rutina, síguela a rajatabla y no permitas que nada la interrumpa. Considérala parte de tu vida, como cepillarte los dientes después de desayunar. Intenta encontrar un equilibrio entre tu entrenamiento y las exigencias familiares/laborales, para conseguir gozar de relajación mental y física. Lleva un diario para anotar tus progresos y para ayudarte a mantener la constancia.

DÓNDE ENTRENARSE

Elige una habitación que tenga suficiente espacio para moverte con libertad. Lo ideal es que sea un lugar tranquilo, ventilado y con una temperatura agradable, con mucha luz. Asegúrate de que no haya corriente de aire frío. Es una buena idea tener el equipo de entrenamiento en el mismo sitio donde practiques ejercicio, ¡dado que tener que ir a buscarlo y llevarlo de un cuarto a otro puede

reducir tu entusiasmo! Intenta eliminar las distracciones (conecta el contestador) y crea una atmósfera agradable. Si te ayuda a concentrarte, pon música de fondo; puede fomentar los pensamientos y las sensaciones positivas, y esto contribuirá a que estés más motivada y a que obtengas mejores resultados.

EL EJERCICIO CARDIOVASCULAR

Necesitarás complementar tus ejercicios de Pilates con un poco de actividad cardiovascular moderada cada día, para equilibrar tus dos objetivos: la salud y la forma física. Si antes del embarazo no practicabas deporte, deberías empezar a hacer ejercicios aeróbicos pausadamente, e ir aumentando poco a poco la intensidad. Los ejercicios cardiovasculares más seguros son caminar y nadar.

Evita cualquier actividad que suponga un riesgo para ti o para tu bebé. Los ejercicios más peligrosos son los deportes de contacto, el submarinismo, el parapente, el paracaidismo, el esquí acuático o sobre nieve, la hípica, el patinaje sobre hielo, la gimnasia, el ciclismo o cualquier actividad que implique una pérdida del equilibrio.

LA NUTRICIÓN

Una dieta sana y bien equilibrada durante el embarazo os ofrecerá a ti y a tu bebé una salud inmejorable. Come alimentos orgánicos frescos, mucha fruta y verdura fresca, cereales integrales, productos lácteos y proteínas. Siempre que sea posible, evita los alimentos elaborados o refinados, para reducir la ingesta de sales, grasas nocivas y alimentos con aditivos químicos. Consulta con tu comadrona cuáles son los alimentos no recomendables durante el embarazo. Si por la mañana te encuentras mareada (puede sucederte a cualquier hora del día), ten a mano unas galletitas para evitar sentir hambre, dado que el mareo puede ser un precursor de las náuseas. La higiene de los alimentos también es muy importante en esta etapa. Durante la gestación evita tomar alcohol.

Debes comer a horas regulares, sin saltarte comidas. Es mejor ingerir pequeñas cantidades a intervalos reducidos a lo largo del día, que comer más cantidad y menos veces. Si eres vegetariana o tienes alergia a algunos alimentos, consulta con un dietista.

EJERCICIOS BÁSICOS

PRINCIPIOS DEL MÉTODO PILATES

Hay diversas variantes e interpretaciones del método Pilates, pero se basan en los siguientes principios, esenciales para adquirir una salud física óptima.

Respirar correctamente es esencial para tu salud, y es uno de los dos principios más importantes del método Pilates. Así obtendrás el máximo beneficio posible de todos los ejercicios.

Las técnicas de relajación fomentan la calma y mantienen la mente despejada. Esto contribuye a la concentración que exige el método Pilates, y permite que dirijas toda la atención hacia el área del cuerpo que estás ejercitando. La visualización es uno de los métodos más eficaces de Pilates para usar el poder que tiene la mente e influir en el rendimiento físico y en sus resultados.

La estabilidad abdominal es la base sobre la que se construyen estos ejercicios. Los músculos de la faja abdominal son el centro de la fuerza corporal, y funcionan como la central energética en la que se originan los movimientos del Pilates. El uso correcto de la posición pélvica logra una postura natural y neutra de la columna y de la pelvis, lo cual contribuye a reducir la presión sobre ambas. La estabilidad de los hombros equilibra los omóplatos y trabaja los músculos que proporcionan una mejor alineación de la cabeza y el cuello.

LA RESPIRACIÓN

Una respiración correcta permite que el oxígeno enriquezca la sangre y nutra todo el cuerpo. Una respiración insuficiente, que solo use la parte superior de los pulmones, implica que los músculos activos carecen del oxígeno que necesitan. Cuando respiras hondo, la sangre oxigenada recarga los músculos más activos; cuando espiras a fondo, tu cuerpo libera los residuos perjudiciales y químicos contenidos en la sangre. Los ejercicios de Pilates fomentan la respiración plena, que involucra los lóbulos pulmonares inferiores, para favorecer este proceso de intercambio. Aprender a respirar te ayudará a evitar tensiones y te permitirá concentrarte en realizar correctamente los ejercicios.

LA RELAJACIÓN

El método Pilates es una forma estupenda de entrenarse suavemente durante el embarazo, sin generar tensiones innecesarias. Puede parecer extraño que un entrenamiento se pueda calificar de relajante, pero esto es exactamente lo que se pretende. El método te brinda unos ejercicios que se inician desde una postura relajada, en calma, y que están diseñados para desafiar a tu cuerpo, mediante movimientos fluidos y controlados de una manera suave y precisa. Esta manera relajada de obtener y mantener una buena forma física también beneficiará a tu bebé.

LA CONCENTRACIÓN

Todos estamos sometidos a un «parloteo» interior constante; se trata de ese Pepito Grillo que no para de decirnos todas las cosas que tenemos que hacer: «Ve a comprar», «Acuérdate de enviarle a tu hermano una tarjeta de cumpleaños», etc. Para aprovechar al máximo tus ejercicios de Pilates es esencial que apagues ese ruido de fondo mental, y que concentres tus pensamientos y tu energía en la zona del cuerpo que estás entrenando. Esto te permitirá vivir intensamente cada ejercicio y obtener los mejores resultados. Un inicio y final tranquilos y concentrados de tus ejercicios Pilates son beneficiosos cuando estás embarazada.

LA VISUALIZACIÓN

Durante la gestación estarás más en sintonía con tu cuerpo y, de forma natural, serás más consciente de ti misma. La visualización permite convertir este fenómeno en una técnica que los deportistas, en especial, aprovechan para mejorar su rendimiento y sus logros. Resulta útil, sobre todo, durante la relajación, que es cuando puedes usar tu mente y tu imaginación para potenciar la técnica del ejercicio. La calma interior, recién descubierta, te ayudará a sentir que tienes el control de tu cuerpo, que irá cambiando con el paso de los meses.

LA ESTABILIDAD ABDOMINAL

La faja abdominal es como la planta energética en la que se producen todos los movimientos y toda la fuerza de estos ejercicios. Una faja abdominal firme proporciona una estructura muscular donde se apoya tu postura, tu columna y tu pelvis. Si desarrollas y mantienes unos abdominales fuertes durante todo el embarazo, podrás evitar el dolor lumbar que padecen muchas mujeres, provocado por la alteración del centro de gravedad, que se desplaza hacia arriba y hacia delante, lo cual distorsiona la curvatura natural de la columna. Durante el embarazo, la estabilidad de esta zona central ayuda a tu cuerpo a recuperar el equilibrio a medida que tu bebé va creciendo, y a aliviar las tensiones y presiones adicionales sobre tus articulaciones. Al llegar a los últimos meses del embarazo, también habrá evitado que te encorves. Conseguir unos músculos abdominales fuertes te ayudará a recuperar con mayor rapidez un vientre plano después del parto.

LA POSICIÓN PÉLVICA

Una correcta alineación del cuerpo es muy importante. La inclinación de la pelvis afecta a la alineación de la columna, y ambas afectan a la postura en general. La posición correcta de la pelvis ayuda a que desaparezcan los dolores de espalda y a que se relajen las articulaciones.

ESTABILIDAD DE LOS HOMBROS

Es habitual sentir dolor en el cuello y tensión en los hombros . Durante el embarazo, hay un peso adicional en la parte superior de la espalda, los hombros y los músculos del cuello debido al crecimiento de los pechos y al del bebé. Por ello forzamos los hombros. Con estos ejercicios trabajamos los músculos para poder aliviar las tensiones del cuello.

POSICIÓN DE CABEZA Y CUELLO

El cuello es muy sensible a las lesiones, y podemos sufrir sus efectos a largo plazo, sintiendo cansancio e incluso insomnio. La cabeza ha de estar siempre en una posición equilibrada y relajada. Los ejercicios de Pilates te acostumbran a mantener cabeza y cuello en una posición correcta previniendo tensiones y lesiones, además de dotarte de una postura más elegante.

LA TÉCNICA DE RESPIRACIÓN

Para respirar profunda y eficazmente, inspira por la nariz y espira por la boca, frunciendo levemente los labios. Cuando estés entrenando, es esencial que espires al hacer fuerza, y respires mientras te relajas o te preparas para el siguiente movimiento. Este patrón te ayuda a evitar la tensión y a concentrarte plenamente en cada movimiento del ejercicio. La respiración correcta durante el ejercicio induce a tu suelo pélvico y a tus músculos abdominales y lumbares a conectarse plenamente, y te proporciona una estabilización esencial para la pelvis y la columna lumbar.

CONSEJOS

- Evita respirar en exceso. Mantén la respiración a un ritmo que te resulte cómodo para evitar que te quedes sin aire.

- A medida que crezca tu bebé, sobre todo durante el último trimestre, puede que respirar hondo te resulte incómodo, así que respira normalmente.

- Nunca contengas la respiración (al practicar ejercicio hay muchas mujeres que, sin darse cuenta, lo hacen), dado que hacerlo puede provocar mareos o desmayos.

Siéntate en una silla estable, con las plantas de los pies apoyadas en el suelo y separadas a la altura de las caderas. Estírate suavemente para que la columna esté recta. Coloca las manos a ambos lados de tu caja torácica. Inspira por la nariz y observa cómo la caja torácica se expande lateralmente. Cuando espires, notarás cómo las costillas vuelven a su posición inicial.

RESPIRACIÓN CON CABEZA INCLINADA

Este ejercicio respiratorio incorpora movimientos que movilizan y liberan la tensión en la zona cervical, los hombros y la columna. También fomenta el uso correcto de los abdominales cuando te inclinas hacia delante.

Repeticiones: 3

CONSEJOS

- Empieza con la cabeza recta, y siente cómo tu columna se va flexionando, una vértebra tras otra, a medida que inclinas la cabeza hacia delante. No fuerces el movimiento.

- Cuando empieces a levantar la cabeza, inicia el movimiento desde el cóccix.

1 Siéntate en una silla estable, con los pies planos y a la altura de las caderas. Relaja los brazos a los lados, con las palmas de las manos hacia dentro. Yergue suavemente la columna. Reparte el peso del cuerpo entre los huesos que te sirven de apoyo al sentarte, los isquiones. Mete el estómago.

2 Inspira mientras inclinas lentamente la barbilla hacia el pecho. Espira dejando que tu cabeza se incline hacia delante, hasta adoptar una postura confortable. Vuelve a inspirar y, mientras, mete el estómago hacia la columna. Ve incorporándote, una vértebra tras otra, hasta quedar erguida.

LA RELAJACIÓN

La relajación es esencial para poder disfrutar del embarazo. La tranquilidad que nace de la relajación beneficiará a tu bebé, contribuyendo a su salud en el futuro. Este proceso de relajación consiste en una serie de pasos progresivos, así que quizá te resulte útil grabar la secuencia, para poder escucharla cuando lo practiques.

CONSEJOS

- Escuchar música suave mientras te relajas generará en ti pensamientos y sensaciones positivos, que te ayudarán a mejorar los resultados.

Túmbate de espaldas sobre la alfombrilla con las rodillas flexionadas y los pies planos sobre el suelo, a la altura de las caderas. Puedes poner debajo de la nuca una almohada pequeña. Relaja los brazos a los lados, con las palmas mirando hacia arriba.

- Cierra los ojos y siente el peso de los pies, la pelvis, la caja torácica, los omóplatos y la cabeza. Empieza en las puntas de los pies y ve subiendo.
- Imagina que tus pies son trípodes, que tienen tres puntos de apoyo en el suelo: el dedo gordo, el meñique y el centro del talón.
- Mantén las rodillas paralelas a tus caderas. Relaja los músculos flexores de las caderas y de los muslos. Si sientes tensión, separa los pies un poco más o acércalos a las nalgas.

- Mantén la pelvis en alineación neutra (consulta la página 36). Imagina que tus huesos ilíacos apuntan al techo. No tenses los glúteos.
- Siente cómo tu columna se extiende sobre la colchoneta.
- Deja que se relajen los músculos de los hombros y del cuello, y libera cualquier tensión de los músculos de la mandíbula y del rostro.
- Ahora, siente cómo se relajan los músculos de todo tu cuerpo. Imagina que estás tumbada sobre arena cálida, y que te vas hundiendo en ella. Disfruta de la sensación de tu cuerpo en esta posición de relajación tan cómoda. A partir de los tres meses de embarazo, practica la relajación tumbada sobre un costado.

El suelo pélvico forma parte integral de los músculos abdominales y desempeña un papel esencial en el mantenimiento de la postura corporal correcta. Unos músculos débiles en el suelo pélvico provocan una mala postura y dolor de espalda. La falta del soporte correcto de los órganos coxales podría conducir a un prolapso, una debilidad que quizá te provoque incontinencia o pérdidas incómodas cuando estornudes o te rías, así como problemas en la vejiga al cabo de unos años. Lo cierto es que esta debilidad en el suelo pélvico no es la mejor preparación para el parto. Probablemente, los ejercicios del suelo pélvico son los más importantes para el embarazo. También contribuyen a activar y hacer trabajar tus músculos abdominales.

TIPOS DE FIBRAS MUSCULARES

El suelo pélvico tiene dos tipos de fibras musculares, conocidas como ST (*slow-twitch*, de contracción lenta) y FT (*fast-twitch*, de contracción rápida). Cada tipo de fibra desempeña una función distinta, y por tanto exige una técnica de entrenamiento diferente. Aproximadamente, las dos terceras partes de los músculos son ST, y realizan unas contracciones musculares lentas que sirven de apoyo a los órganos coxales durante las actividades que requieren resistencia; te ayudan a estar de pie durante largos períodos, mantienen la postura correcta, y te permiten pasar mucho tiempo sin «pérdidas». Tonificar los músculos ST te ofrece el beneficio de disfrutar más del placer sexual durante el coito. El tercio restante de fibras musculares son FT, las cuales te ayudan a mantener el control durante los actos menos previsibles, como saltar, reír o estornudar. Los ejercicios de las páginas siguientes van destinados a trabajar los músculos del suelo pélvico.

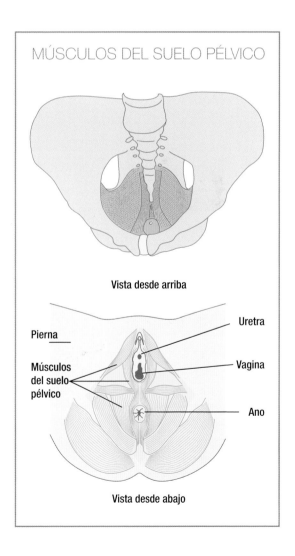

MÚSCULOS DEL SUELO PÉLVICO

Vista desde arriba

Pierna

Músculos del suelo pélvico

Uretra

Vagina

Ano

Vista desde abajo

EJERCICIOS PARA LA PELVIS

«La elevación diamante» trabaja los músculos ST. El hecho de ir ampliando tu tiempo de «sujeción» tonifica estupendamente los músculos del suelo pélvico y del esfínter (que contribuyen a controlar la vejiga y el intestino). «La serie diamante» trabaja los músculos FT, que evitan las pérdidas incómodas cuando estornudas. Durante el final del embarazo, «El ascensor» te prepara para el nacimiento del tu bebé.

LA ELEVACIÓN DIAMANTE

Repeticiones: 3-5

1 Siéntate recta en una silla estable, con los pies planos y en la vertical de las caderas. El peso del cuerpo debe estar bien distribuido, y las caderas equilibradas y mirando al frente. Imagina un diamante, formado por el hueso ilíaco delante, los isquiones a cada lado y el cóccix atrás. Los músculos del suelo pélvico están sujetos a las cuatro aristas del diamante.

2 Inspira, y al espirar junta las cuatro aristas del diamante, tira hacia dentro y luego hacia arriba. Mantén la posición tres segundos, y después inspira lentamente mientras las relajas seis segundos. Elévalas hasta la vejiga. Siente cómo se contrae y trabaja el músculo transverso. Descansa seis segundos y repite el movimiento. Ve aumentando el tiempo de sujeción hasta los diez segundos, y descansa otros diez.

CONSEJOS

- Realiza este ejercicio varias veces al día.
- La acción de tirar hacia dentro y hacia arriba se parece a la contracción que haces para evitar que se te escape una ventosidad.

LA SERIE DIAMANTE

Repeticiones: 5-10 (tres veces al día)

Siéntate en una silla o en el suelo con las piernas cruzadas. Imagina que estás sentada sobre las cuatro esquinas de tu diamante, y rápidamente «tira» de esas cuatro aristas hacia dentro y hacia arriba. Mantén la posición un segundo, libera los músculos y luego relájate del todo. Repite la serie.

CONSEJOS

- Si sientes que vas a toser o estornudar, practica este movimiento justo antes del estornudo.

- Evita tensar el interior de los muslos, las nalgas o los hombros.

EL ASCENSOR

Repeticiones: 3-5

Siéntate en una silla, o en el suelo con las piernas cruzadas. Imagina que estás sobre las cuatro aristas del diamante y, mientras tiras de ellas hacia dentro y hacia arriba, visualiza un ascensor que sube hasta un primer piso. Mantén los músculos pélvicos en esa posición dos segundos, respirando suavemente. Sube hasta el segundo piso. Mantén la posición diez segundos. Repítelo para llegar al tercer y cuarto piso, manteniendo dos segundos cada una de las contracciones. Lentamente, ve liberando el suelo pélvico, mientras desciendes piso por piso. Permanece relajada de ocho a diez segundos, y repite la serie.

CONSEJOS

- Este ejercicio requiere mucha práctica en cada «piso», antes de continuar, y una respiración controlada. Recuerda inspirar y espirar.

- Si te resulta difícil, detente en el segundo piso. Continúa solo cuando te sientas más fuerte. Al cabo de unos meses, haz este mismo ejercicio de pie.

LA ESTABILIZACIÓN ABDOMINAL

La faja central comprende el transverso abdominal (esa banda profunda de músculo que envuelve horizontalmente tu torso como si fuera un corsé), los músculos multífidos que aguantan tu columna y los músculos del suelo pélvico. El fortalecimiento de estos músculos estabiliza la columna, la zona lumbar y la pelvis. Todos los movimientos de Pilates se inician en la faja abdominal. Para conectar y activar eficazmente estos músculos, y para fomentar la estabilidad, realiza los siguientes ejercicios. Cuando estés en el segundo o tercer trimestre del embarazo, evita estar tumbada de espaldas más de tres minutos.

CONSEJOS

- Mientras se contraen tus músculos abdominales, imagina una sonrisa en tu abdomen, que empiece en el ombligo y llegue a la columna. Imagina que la sonrisa es EL CONECTOR ABDOMINAL cada vez más ancha y larga, ¡y que rodea a tu bebé!

- Mantén la pelvis plana, evitando meterla hacia dentro.

- Progresión: mantén la contracción abdominal, inspira, espira y relájate.

EL CONECTOR ABDOMINAL

Repeticiones: 3-5

1 Túmbate de espaldas; puedes colocar una almohada bajo la nuca. Pon los pies planos en la vertical de las caderas, con las rodillas flexionadas. Pon las manos planas sobre las caderas. Desliza las manos 5 cm hacia dentro y 5 cm hacia abajo. Abre los dedos y siente los músculos abdominales relajados.

2 Inspira enviando el aire a los lados y detrás de tu caja torácica. Espira y eleva el suelo pélvico usando «La elevación diamante» (véase página 32). Al mismo tiempo, mete el ombligo hacia dentro. Siente cómo los abdominales se alejan de las puntas de tus dedos. Inspira y libera los músculos abdominales. Repítelo.

CONECTOR ABDOMINAL DE RODILLAS

Repeticiones: 5-10

1 A gatas, mantén las manos en la vertical de los hombros y las caderas por encima de las rodillas, con los codos flexionados. Estira la cabeza, alejándola de la rabadilla, y mantén una posición neutra de la columna. Mira al suelo, con la punta de los dedos hacia delante.

2 Inspira llevando el aire a los laterales y la parte de atrás de la caja torácica. Espira, mantén quieta la espalda y usa «La elevación diamante» para elevar el suelo pélvico. Mete el ombligo hacia la columna. Inspira para relajar los abdominales. Repite la serie.

CONECTOR ABDOMINAL CON PELOTA

Repeticiones: 5-10

Puedes progresar en este ejercicio colocando una pequeña pelota blanda entre las caras internas de los muslos. Repite el ejercicio «Conector abdominal de rodillas», apretando suavemente la pelota entre los muslos mientras elevas el suelo pélvico y atraes los abdominales hacia la columna.

El método Pilates subraya la importancia que tiene estabilizar la pelvis y la zona lumbar en una posición neutra. Es imprescindible comprender cómo llegar a esta posición, y luego aportar ese conocimiento a la alineación de la columna, porque la inclinación de tu pelvis afecta a dicha alineación.

CONSEJOS

- A partir del tercer mes de embarazo, evita estar tumbada de espaldas más de tres minutos.

- Para practicar este movimiento puede serte útil ponerte de pie y mirarte de lado en un espejo.

DESLIZAMIENTO PÉLVICO

Repeticiones: hasta que encuentres la posición correcta

1 Túmbate de espaldas. Puedes poner una almohada pequeña bajo la nuca. Apoya los pies en el suelo, a la altura de las caderas. Pon las manos sobre las caderas. Mete hacia dentro la pelvis, siente la zona lumbar contra el suelo. El cóccix se separará del suelo y los flexores de la cadera se tensarán.

2 Con cuidado, inclina la pelvis hacia el otro lado. Sentirás cómo la columna se arquea un poco. Nota: evita arquear la espalda si tienes una lesión.

3 Encuentra la posición neutra deslizando la pelvis hacia delante y hacia atrás. La posición neutra se encuentra entre estos dos extremos, donde el cóccix se acerca al suelo y donde tu hueso púbico y los huesos ilíacos están al mismo nivel. Entre la parte posterior de tu cintura y la alfombrilla debería haber espacio para meter una mano.

SEPARACIÓN

Repeticiones: hasta 5 por cada lado, alternas

Empieza como en el «Deslizamiento pélvico», con la columna en una posición neutra. Coloca las manos sobre las caderas. Mientras espiras, levanta el suelo pélvico y mete el ombligo hacia dentro. Deja que la rodilla izquierda descienda hacia un lado. Mantén quietas las caderas, la pelvis y la rodilla derecha. Inspira y regresa a la posición inicial. Repite el ejercicio con la otra rodilla.

DESLIZAMIENTO

Repeticiones: hasta 5 por cada lado, alternas

Empieza como en el «Deslizamiento pélvico». Inspira enviando el aire a los lados y a la parte de atrás de la caja torácica. Espira, eleva el suelo pélvico y mete el ombligo hacia dentro. Al mismo tiempo, desliza un pie, alejándolo de los glúteos sin mover la pelvis. Inspira y vuelve a la posición inicial. Repite la serie con la otra pierna.

ELEVACIÓN

Repeticiones: 5-10 a cada lado, alternas

Empieza como en el «Deslizamiento pélvico». Inspira insuflando aire a los lados y a la parte trasera de la caja torácica. Espira lentamente, elevando el suelo pélvico y metiendo el ombligo hacia dentro. Al mismo tiempo, levanta una rodilla, en ángulo recto, por encima de la cadera. Inspira sosteniendo la rodilla elevada mientras mantienes la contracción abdominal. Espira, lentamente, al bajar el pie hasta el suelo. Repite la serie con la otra pierna.

LA ESTABILIZACIÓN DE LOS HOMBROS

El aumento de tamaño de los pechos, junto con el peso del bebé, puede producir dolores cervicales y tensión en los hombros. Estos ejercicios estabilizarán tus omóplatos y aprenderás cómo moverlos al menear los brazos. Con las «Rotaciones de brazos» percibirás la posición de la caja torácica durante el movimiento de los brazos.

CONSEJOS

- Después del tercer mes de embarazo, evita estar tumbada sobre la espalda más de tres minutos. En lugar de ello intenta realizar sentada las «Rotaciones de brazos».

AISLAMIENTO ESCAPULAR (de los omóplatos)

Repeticiones: 3

POSICIÓN DE ENCOGIMIENTO INCORRECTA

Inspira y, suavemente, acerca los omóplatos sin forzarlos. Espira y regresa a la posición neutra ideal. Repite el ejercicio.

POSICIÓN NEUTRA IDEAL

Siéntate erguida con las piernas cruzadas, los brazos extendidos a la altura de los hombros, las palmas mirándose y en línea con los hombros; los hombros relajados.

POSICIÓN DE PROLONGACIÓN INCORRECTA

Inspira y estira los brazos hacia delante. Espira y vuelve a la posición neutra. Repite el ejercicio.

HOMBROS ARRIBA Y ABAJO

Repeticiones: 2-3

ENCOGIMIENTOS

Siéntate erguida con las piernas cruzadas y los brazos relajados. Inspira y encoge los hombros, sintiendo cómo los omóplatos se deslizan hacia arriba.

DESCENSOS

Espira y desliza los omóplatos hasta su posición inicial, presionando ligeramente la alfombrilla con las manos. Inspira y vuelve a la posición inicial.

ROTACIONES DE BRAZOS

Repeticiones: 5 en cada dirección

Túmbate con las rodillas flexionadas y los pies apoyados en el suelo, en la vertical de las caderas. Levanta los brazos y estira los dedos hacia el techo. Inspira y luego espira mientras metes el ombligo hacia dentro.

Inspira y estira los brazos por encima de la cabeza. Mantén la caja torácica en contacto con el suelo. Espira mientras rotas los brazos estirados hasta tocar las caderas. Regresa a la posición inicial.

ESTIRAMIENTO CERVICAL

El método Pilates te enseña a estirar la parte posterior del cuello para ayudarte a conseguir una alineación perfecta y una postura ideal; podrás hacerlo tumbada, sentada o de pie. La posición correcta de la cabeza sobre el cuello te ayuda a evitar molestias y lesiones. Al equilibrar la fuerza de los flexores del cuello y de los extensores, se puede lograr una alineación perfecta. Tu columna cervical mantendrá su curvatura natural, alcanzando así una postura más firme y saludable.

CONSEJOS

- Empieza el movimiento de inclinación de cabeza mirando justo al frente. Imagina que hay una mosca en el techo, y que vas siguiendo su movimiento con la cabeza a medida que se aleja de ti.

- Cuando sobrepases el tercer mes de embarazo, procura no permanecer tumbada sobre la espalda más de tres minutos.

INCLINACIONES DE CABEZA

Repeticiones: 3-5

1 Túmbate de espaldas con las rodillas flexionadas, los pies planos y en la vertical de las caderas. Relaja los brazos a los lados, con las palmas hacia abajo. Siente cómo se expande tu tórax.

2 Inspira y, suavemente, ve bajando la barbilla hacia el pecho, estirando la parte posterior del cuello sin levantar la cabeza de la colchoneta. Espira mientras regresas a la posición inicial. Repite el ejercicio.

INCLINACIONES LATERALES DE CABEZA

Repeticiones: 3 a cada lado, alternas

Repeticiones: 3 a cada lado, alternas

Siéntate erguida en una silla, metiendo estómago. Coloca los pies en la vertical de las rodillas y descansa las manos en los muslos. Mira al frente, manteniendo la amplitud torácica, relajando los hombros. Inspira e inclina la cabeza hacia un lado. Regresa a la posición central, y luego inclina la cabeza hacia el hombro izquierdo. Repite el ejercicio.

Colócate en la misma posición que para hacer las «Inclinaciones laterales». Vuelve lentamente la cabeza hacia la derecha y mantén la posición un segundo. Repite el movimiento hacia el lado izquierdo y aguanta la posición. Cuando vuelvas la cabeza, mantén la barbilla siempre al mismo nivel. Repite el ejercicio.

PRIMER TRIMESTRE

DEL EMBARAZO

LOS CAMBIOS EN TU CUERPO

Poco después de descubrir que estás embarazada, experimentarás cambios emocionales y físicos debido al aumento hormonal. Puedes sentirte muy sensible y cansarte fácilmente. Muchas mujeres notan mareos o náuseas.

Tus ligamentos y articulaciones se están haciendo más flexibles e inestables, lo cual aumenta la probabilidad de padecer tensiones o lesiones articulares, y puede llegar a fomentar una mala postura.

Tu cintura se va ensanchando. Si sueles hacer ejercicio y normalmente guardas la línea, este cambio te puede alarmar, pero el aumento de peso es natural y necesario para el crecimiento de tu bebé.

Los niveles hormonales agrandan tus pechos, y producen una secreción lechosa poco densa llamada calostro, como preparación para la lactancia; es posible que te duelan un poco.

Tu vejiga nota la presión del útero, que aumenta de tamaño, y quizá tengas que orinar con más frecuencia. También puede que surja algún problemilla de estreñimiento.

Tu presión arterial tiende a ser más baja de lo habitual. A veces, estos cambios te hacen sentir que te da vueltas la cabeza.

Los ejercicios de este libro sentarán las bases para que recuperes tu forma física después del parto.

PAUTAS PARA LOS TRES PRIMEROS MESES

- Si es la primera vez que usas el método Pilates, espera hasta el cuarto mes de embarazo (16 semanas) antes de empezar el programa; consulta los consejos de la página 20.

- Si necesitas esperar hasta haber cumplido la semana 16 para empezar los ejercicios, mientras tanto puedes dar paseos diarios, y mantener así tu buena forma cardiovascular. Cuando camines, aplica los principios de la postura sana (véase páginas 26-27).

- Cuando entrenes, haz sólo un número de repeticiones que no te suponga molestias. ¡No te excedas!

- Practica cada día los ejercicios para el suelo pélvico.

- Ten cuidado durante los cambios de un ejercicio a otro: muévete lentamente y evita levantarte deprisa.

- Presta atención a tu técnica y a tu postura. La calidad del movimiento es mejor que la cantidad.

- Como tus pechos pesan más, tu cuerpo tenderá a redondear la parte superior de la espalda y los hombros; debes realizar muchos ejercicios de Pilates que fortalezcan la zona media de la espalda, como «Las puertas del granero» (véase página 54) y «La cometa» (véase página 60).

- Es importante que fortalezcas y tonifiques los brazos y hombros para sostener, coger y trasladar a tu bebé. La «Prensa de pared» (véase página 48) supone un estupendo entrenamiento.

- Evita el estreñimiento bebiendo mucha agua y comiendo al menos cinco piezas de fruta fresca y verdura al día.

- Si comes a primera hora de la mañana, e ingieres porciones más pequeñas pero con mayor frecuencia, podrás aliviar los mareos y las náuseas. Para matar el gusanillo ten a mano unas galletas.

- Si al entrenarte sientes alguna molestia, ¡PARA!

TABLA PARA EL PRIMER TRIMESTRE

Debes realizar esta tabla de ejercicios al menos tres veces a la semana. Usa el programa de calentamiento para preparar tu cuerpo. Esto te dará algunos minutos para tomar consciencia de tu actividad, concentrar tu mente y despertar tu cuerpo. La concentración es vital. ¡Vacía tu mente de los problemas cotidianos y disfruta de este momento!

EJERCICIOS DE CALENTAMIENTO

Estos ejercicios de calentamiento están sacados de la sección «Ejercicios básicos» (véanse páginas 24-41). Realízalos siguiendo el orden que te indicamos a continuación:

Respiración con cabeza inclinada
página 29

Conector abdominal de rodillas
página 35

Separación de rodillas flexionadas y deslizamiento de piernas
página 37

Hombros arriba y abajo
página 39

Rotaciones de brazos
página 39

Inclinaciones laterales de cabeza
página 41

Ahora ya has calentado los músculos, y estás lista para comenzar el entrenamiento para el primer trimestre de embarazo. Estudia primero la «Tabla de secuencia de los ejercicios», y luego aprende cómo se realiza cada uno de ellos.

TABLA DE SECUENCIA DE LOS EJERCICIOS

Prensa de pared
página 48

Extensiones de brazo
página 49

Pliés de primer grado
página 50

Curl de bíceps
página 52

Tonificación de tríceps
página 53

Las puertas del granero
página 54

Rodillas flexionadas
página 55

La nadadora
página 56

La almeja
página 58

La cometa
página 60

Giros de tobillo, sentada
página 62

Presión con pelota
página 61

Extensión de espalda, de rodillas
página 63

PRENSA DE PARED

La «Prensa de pared» es un ejercicio estupendo para acondicionar y tonificar los músculos ubicados en la parte de atrás del brazo (los tríceps) y en el pecho (pectorales). Los pectorales están situados delante de tus hombros, por debajo de los pechos. Unos pectorales fuertes ayudan a sujetar los pechos y le dan forma a tu busto. Esta versión de las típicas flexiones de brazo, pero sobre una pared, es ideal durante el embarazo.

Repeticiones: 8-10

CONSEJOS

- Evita encorvar la espalda. Mantén la columna recta y el estómago bien sujeto.

- Dirige el movimiento con el pecho, no con la nariz.

- Cuando endereces los brazos, no los estires del todo; deja los codos algo flexionados.

1 Ponte de cara a la pared, con los pies separados a la altura de las caderas y las rodillas ligeramente flexionadas. Apoya las palmas de las manos abiertas ante ti, un poco más separadas que la anchura de los hombros. Retrocede hasta estirar los brazos.

2 Inspira y mete el ombligo hacia la columna. Lentamente, flexiona los codos mientras acercas el pecho a la pared. Espira y presiona con firmeza sobre la pared para volver a la posición inicial.

EXTENSIONES DE BRAZO

Este es un magnífico estiramiento que, aunque es suave, resulta muy eficaz y te aportará nuevas energías. Las «Extensiones de brazo» debes hacerlas sentada en el suelo, y quizá te encuentres más cómoda sobre un cojín grande, un bloque de yoga o una toalla enrollada. Para garantizar el buen resultado del ejercicio, cuando cambies de lado ve modificando la posición de los pies.

Repeticiones: 3-5 a cada lado

CONSEJOS

- Estírate para impedir que el peso de tu cuerpo recaiga sobre las caderas.

- Mientras levantas el brazo, mantén el hombro relajado.

- Mantén la cabeza y el cuello alineados con la columna, y, cuando levantes el brazo, mira al frente.

1 Siéntate cómodamente con las piernas cruzadas, y estira el torso tirando de la coronilla hacia el techo. Apoya la mano derecha en el suelo, a un lado, y levanta el brazo izquierdo hacia el techo, estirando los dedos como si quisieras tocarlo.

2 Inspira llevando el aire a los lados y detrás de tu caja torácica. Espira y mete el ombligo hacia dentro. Estira suavemente el cuerpo hacia el techo y eleva el brazo izquierdo por encima de la cabeza. Las caderas y los hombros deben mirar al frente. Espira y estira hacia arriba. Vuelve a la posición inicial. Repite el ejercicio.

PLIÉS DE PRIMER GRADO

Los pliés son movimientos de ballet clásico; en francés, plier significa «flexionar». Estas sencillas flexiones de rodilla tonifican estupendamente todos los músculos de las piernas, sobre todo la cara interna de los muslos y las nalgas. Trabajar contra la pared te permite prestar atención a la estabilidad y usar eficazmente los músculos abdominales.

Repeticiones: 8-10

CONSEJOS

- No separes mucho las piernas, para que rodillas y tobillos no se separen de la vertical.

- Si no captas cómo es el movimiento, haz el ejercicio «Separación» (véase página 37).

- Para ejecutar el ejercicio correctamente, imagina que aprietas una moneda entre las nalgas.

1 Ponte con la espalda apoyada en una pared, separando los tobillos de ella a la distancia de la medida de tu pie. Coloca los pies juntos y abre las piernas desde la articulación de la rodilla, mantén los tobillos juntos. Mira al frente.

2 Inspira. Mete el ombligo hacia dentro y mantenlo así durante todo el movimiento. Estira la espalda, y mientras la deslizas hacia abajo dobla las rodillas. No alces los talones. Mantente así un segundo, espira mientras deslizas la espalda hacia arriba hasta llegar a la posición inicial.

PLIÉS DE SEGUNDO GRADO

Cuando realices fácilmente las flexiones de rodilla del ejercicio anterior, pasa a los pliés de segundo grado. Estas flexiones te ayudarán a sentir cómo se contraen y trabajan los músculos de la cara interna de los muslos y de los glúteos. Los pliés te ayudarán a conseguir unas piernas tonificadas y bonitas, y un trasero firme.

Repeticiones: 8-10

CONSEJOS

- Durante todo el movimiento, mete el ombligo hacia la columna.

- Si sientes que las rodillas rotan hacia dentro, mejora la alineación abriendo los dedos de los pies ligeramente hacia fuera.

- Mientras enderezas la espalda, aprieta las nalgas como si quisieras sujetar una moneda.

1 Ponte de espalda contra la pared, con los tobillos separados de ella a la distancia de la medida de tu pie. Debes colocar los pies un poco más separados que las caderas, es decir, a unos 38-45 cm. De caderas para abajo, gira las piernas hacia afuera. Mira al frente.

2 Mientras inspiras, mete el ombligo. Estira la espalda y dobla las rodillas por encima de los dedos de los pies, mientras deslizas la espalda por la pared. No alces los talones. Mantén la posición. Espira y aprieta los glúteos y la cara interna de los muslos, y desliza la espalda hasta la posición inicial.

CURL DE BÍCEPS

El fortalecimiento de la parte superior de los brazos ayuda a los músculos de tu espalda cuando realizas actividades cotidianas, como levantar bolsas de la compra o mover los muebles al pasar el aspirador. Cuando llegue tu bebé, estos ejercicios contribuirán a que estés más preparada para las acciones de levantarlo y llevarlo de un lado a otro, ¡que forman parte de la alegría de ser mamá! Para hacer este ejercicio, necesitarás unas mancuernas que pesen medio kilo o un kilo.

Repeticiones: 8-10

CONSEJOS

- Durante todo el ejercicio, para conservar la postura correcta, mete el ombligo hacia dentro.

- Evita subir los hombros y mantén el pecho hacia fuera

- Puedes realizar este ejercicio sentada en una silla rígida y resistente.

1 Sitúate con los pies separados a la altura de las caderas y con las rodillas ligeramente flexionadas. Coge una mancuerna con cada mano, con las palmas de las manos mirando hacia delante y los brazos estirados a los lados del cuerpo. Inspira para prepararte.

2 Espira, mete el ombligo hacia dentro, flexiona los codos levantando las mancuernas hacia los hombros. Mantén los codos pegados al cuerpo. Cuando las mancuernas estén lo más cerca posible de los hombros, tensa los bíceps. Luego espira y recupera la posición inicial.

TONIFICACIÓN DE TRÍCEPS

Este es un ejercicio que proporciona unos resultados muy satisfactorios. Tiene por objetivo fortalecer y tonificar los tríceps, situados detrás de la parte superior de los brazos. Es muy eficaz para erradicar la flacidez en esta zona de difícil acceso, y para volver más firme la parte de atrás de los brazos, de modo que, cuando digas adiós con la mano, ¡la carne no tiemble! Para hacer este ejercicio necesitarás un par de mancuernas de medio kilo o un kilo de peso.

Repeticiones: 8-10

CONSEJOS

- En este ejercicio, para una postura correcta, el ombligo debe meterse hacia la columna.

- Mientras mueves los brazos hacia atrás, desliza suavemente los hombros hacia abajo.

- Evita arquear la zona alta de la espalda.

1 Yérguete manteniendo una postura correcta, con los pies a la altura de las caderas. Coge una mancuerna con cada mano, con las palmas mirando hacia atrás. Inspira y lleva el aire a los lados y a la parte trasera de la caja torácica. Mientras espiras, mete el ombligo hacia la columna y mueve los brazos hacia atrás.

2 Aguanta la posición un segundo. Mantén abierta la zona del pecho, conserva la postura correcta y no dejes que tus costillas presionen hacia delante. Inspira y, lentamente, recupera la posición inicial. Repite el ejercicio.

LAS PUERTAS DEL GRANERO

El paquete muscular situado entre los omóplatos desempeña un papel importante en la postura correcta del cuerpo. Debes fortalecer esos músculos para evitar tener los hombros caídos, protegiéndote así de posibles lesiones. Los hombros caídos hacen que los músculos del pecho se tensen y provoquen un desequilibrio muscular. Este ejercicio resulta especialmente útil si pasas muchas horas sentada o conduciendo. El movimiento te ayuda a abrir la zona del pecho y a tomar consciencia de tu postura.

CONSEJOS

- Mientras mueves las mancuernas hacia fuera, usa los músculos entre los omóplatos, y mantén estos en su sitio.

- Evita flexionar las muñecas.

- Puedes realizar este ejercicio de pie.

Repeticiones: 5-10

1 Siéntate cómodamente en una silla rígida, con los pies en la vertical de las caderas y con la columna en una posición neutra. Coge una mancuerna en cada mano, con las palmas hacia arriba, y coloca los codos pegados al cuerpo a la altura de la cintura. Inspira para prepararte.

2 Espira y mete el ombligo hacia la columna para estabilizar la espalda. Mantén los codos pegados al cuerpo y mueve las mancuernas hacia los lados, como si abrieras unas puertas. Inspira y regresa a la posición inicial. Repite el ejercicio.

RODILLAS
FLEXIONADAS

El mantenimiento de la posición de la columna neutra te hace más consciente del funcionamiento del músculo transverso abdominal. Este ejercicio requiere una buena estabilidad abdominal y aumenta los beneficios derivados de la «Elevación de rodilla» (véase página 37).

Repeticiones: 5-8

(véase página 37).

CONSEJOS

- Procura no tensar los hombros.
- No permitas que sobresalgan los abdominales inferiores.
- Para estar más cómoda, coloca un cojín plano debajo de la nuca.

1 Túmbate en la colchoneta con las rodillas flexionadas y las plantas de los pies apoyadas en el suelo. Inspira. Espira metiendo el ombligo hacia la columna. Levanta la rodilla derecha por encima de la izquierda, en ángulo recto. Inspira y coloca la mano derecha sobre la rodilla derecha. Espira y levanta la rodilla izquierda en ángulo recto sobre la cadera izquierda.

2 Inspira y suelta la rodilla derecha. No arquees la espalda. Espira y ve bajando el pie derecho hasta el suelo, con el ombligo metido hacia dentro. Inspira. Espira y repítelo con el otro pie. Al repetir el ejercicio, empieza siempre con la pierna opuesta a la vez anterior.

LA NADADORA

Es uno de los pocos ejercicios que realizas tumbada boca abajo, y consta de tres fases. Sirve para fortalecer toda la espalda, incluyendo las piernas, los glúteos y los músculos de la espalda baja, media y alta. También te ayuda a fortalecer la zona central, para cuando uses el respaldo de los abdominales en algún movimiento. Todos los beneficios derivados de este ejercicio contribuyen a fortalecerte y a prepararte para el embarazo, el parto y el puerperio.

Repeticiones: 6 de cada paso, alternando los lados

CONSEJOS

- Evita mover el cuerpo. Imagina que tienes sobre la zona lumbar un vaso lleno de agua. ¡No derrames ni una gota!

- Los hombros deben estar relajados y hacia atrás.

- Si el estómago se te hunde hasta tocar la colchoneta, detente y descansa; empieza de nuevo cuando te hayas repuesto.

- Si tumbarte boca abajo te resulta molesto, sustituye este ejercicio por el de «Superwoman» (véase página 78).

1 Túmbate boca abajo, con una toalla enrollada debajo de los tobillos, y con los pies a la altura de las caderas. Descansa la frente sobre las manos, que debes colocar una encima de otra. Busca la posición de la columna neutra (véase página 36) y estira el cóccix. Inspira y levanta la pelvis. Mete el ombligo hacia dentro, elevando los abdominales inferiores y despegándolos del suelo. Espira y levanta la pierna derecha, estirando la punta de los dedos. Mientras bajas la pierna hacia el suelo, inspira.

2 Ahora, estira los brazos formando una V. Inspira
   para prepararte y, mientras espiras, levanta
   suavemente el brazo izquierdo. Inspira mientras,
lentamente, lo vas bajando. Mantén la cabeza sobre la
colchoneta, y asegúrate de que sigues metiendo el ombligo
hacia la columna. Alterna los brazos sin forzar los codos y
con el cuello y los hombros relajados. Repite el ejercicio.

3 Levanta un brazo y la pierna opuesta; alza un poco
   la cabeza. Baja el brazo, la pierna y la cabeza hasta
   el suelo. Levanta el otro brazo y la pierna opuesta,
subiendo un poco la cabeza. Repite el movimiento; mete
siempre el ombligo hacia dentro. No eleves mucho los
brazos ni las piernas hasta fortalecer los músculos
abdominales. Los movimientos han ser controlados,
y debes levantar el brazo y la pierna a la misma altura.
La cabeza la puedes alzar solo si te resulta fácil.

LA ALMEJA

El ejercicio de «La almeja» tiene múltiples beneficios porque trabaja a diferentes niveles. Mejora la fuerza de los músculos abdominales profundos, que ofrecerán un apoyo esencial a tu bebé en los próximos meses, a medida que vaya creciendo. Tonifica y da esbeltez a los músculos de la cara externa de los muslos, y ayuda a afirmar los músculos más internos de los glúteos. También aumenta la estabilidad de la pelvis cuando se te ablanden los ligamentos y tu cuerpo cambie durante el embarazo. Tal y como sugiere su nombre, los movimientos de las piernas recuerdan a la concha de una almeja, que se abre y se cierra.

Repeticiones: 8-10 a cada lado

1 Túmbate sobre el costado izquierdo, con una cadera justo encima de la otra. Estira el cuerpo, desde la cabeza hasta los tobillos. Coloca un cojín plano entre la cabeza y el brazo izquierdo, y, si estás más cómoda, sitúa otro en el hueco de tu cadera. Apoya la mano derecha en el suelo, delante de ti, a la altura de la cintura.

CONSEJOS

- Evita que tus caderas se echen hacia atrás. La cintura ha de separarse de la colchoneta.

- Conserva la postura de la columna neutra y mantén la estabilidad del torso.

- Concéntrate en los músculos de la cara externa de los muslos y de los glúteos.

- Imagina que tus músculos abdominales abrazan a tu bebé.

- Relaja los hombros y haz que tus movimientos sean lentos y controlados.

- Una alternativa sencilla es el «Conector de costado» (véase página 97): te dará los beneficios abdominales para que encajes el peso creciente del bebé y mejores tu postura.

2   Flexiona las rodillas hacia delante hasta que los muslos estén a 45 grados del cuerpo. Mira hacia el frente e inspira para prepararte.

3   Espira metiendo el ombligo hacia la columna. Mantén los pies juntos y abre la pierna, separando una rodilla de la otra hasta donde puedas, al tiempo que las caderas giran hacia atrás. Inspira mientras, lentamente, bajas la rodilla derecha hasta que vuelva a descansar sobre la izquierda. Repite el ejercicio.

LA COMETA

Este ejercicio parece simple, pero sus efectos son indiscutibles. Sirve para liberar tensión en los músculos de la espalda media-alta y del cuello. Este movimiento contribuye a abrir la zona del pecho y, cuando los omóplatos se estabilicen y se desplacen hacia abajo, sentirás cómo desaparece cualquier tensión en tu cuello y hombros.

Repeticiones: 5-10

CONSEJOS

- Usa los brazos para apoyarte, pero no para empujar; solo deben trabajar los músculos de tu espalda.

- Evita mirar al frente.

- Tu torso se levanta solo 2,5-5 cm del suelo. Mantén las costillas en contacto con la colchoneta.

1 Túmbate boca abajo, con las piernas paralelas y los pies separados a la altura de las caderas. Apoya en el suelo las palmas de las manos; las puntas de los dedos deben tocarse, y los codos deben estar flexionados y abiertos hacia fuera, para que los brazos adopten la forma de una cometa. Relaja el cuello y los hombros. Inspira para prepararte.

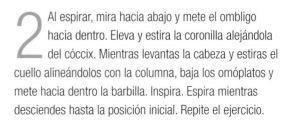

2 Al espirar, mira hacia abajo y mete el ombligo hacia dentro. Eleva y estira la coronilla alejándola del cóccix. Mientras levantas la cabeza y estiras el cuello alineándolos con la columna, baja los omóplatos y mete hacia dentro la barbilla. Inspira. Espira mientras desciendes hasta la posición inicial. Repite el ejercicio.

PRESIÓN CON PELOTA

Se trata de la adaptación de un ejercicio de Pilates muy conocido, en el que hay que apretar una pelota o un cojín. Si utilizas una pelota de goma blanda, la presión será más firme y efectiva. Este movimiento eficaz combina el fortalecimiento de los músculos internos de los muslos con el trabajo de los músculos del suelo pélvico; también aumenta la consciencia postural y libera la tensión acumulada en la zona lumbar. Además, notarás cómo se contraen los músculos de los glúteos.

CONSEJOS

- Cuando aprietes la pelota, evita arquear la espalda.

- Si sientes molestias en el cuello o en la cabeza, ponte debajo de la nuca un cojín pequeño.

- En caso de no disponer de una pelota de goma, puedes usar una almohada rígida.

Repeticiones: 8-10

1 Túmbate con las rodillas flexionadas, los pies apoyados en el suelo y a la altura de las caderas. Sostén la pelota entre las rodillas y estira los brazos junto al cuerpo, con las palmas de las manos tocando el suelo. El cuello y los hombros están relajados durante todo el movimiento. Inspira, y eleva los músculos de la pelvis.

2 Espira metiendo el estómago hacia la columna y, lenta pero firmemente, aprieta la pelota con las rodillas. Inspira y mantén la presión un segundo. Luego espira y, poco a poco, relaja la presión sin dejar caer la pelota. Repite el movimiento.

GIROS DE TOBILLO, SENTADA

Este es un buen movimiento que puedes practicar cuando hayas acabado un entrenamiento o cuando estés sentada relajándote. Aumenta eficazmente la movilidad del tobillo, y es una forma estupenda para reducir la hinchazón en los pies y los tobillos (edema) que suelen padecer las embarazadas. Acondiciona los músculos de los tobillos (flexores y extensores), y mejora la circulación de la parte inferior de las piernas al trabajar los músculos de las pantorrillas.

Repeticiones: 6 en cada dirección

CONSEJOS

- Mantén la postura correcta durante todo el ejercicio, procurando que no haya tensión en los hombros ni en el cuello.

- Respira con normalidad

- Mira al frente. Si miras hacia abajo, alterarás la alineación entre tu cuello y tu columna.

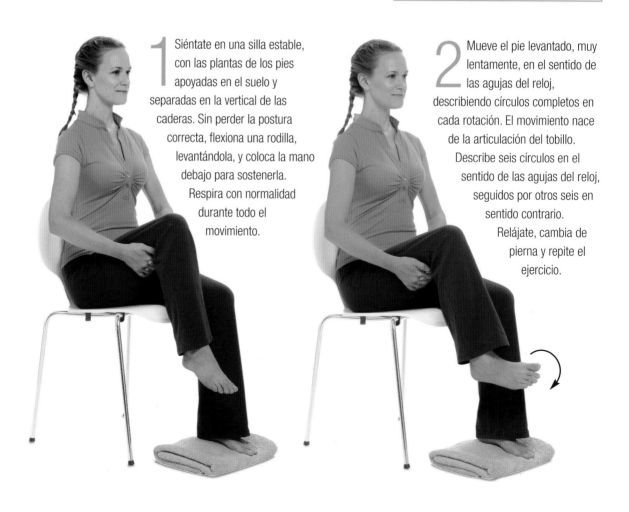

1 Siéntate en una silla estable, con las plantas de los pies apoyadas en el suelo y separadas en la vertical de las caderas. Sin perder la postura correcta, flexiona una rodilla, levantándola, y coloca la mano debajo para sostenerla. Respira con normalidad durante todo el movimiento.

2 Mueve el pie levantado, muy lentamente, en el sentido de las agujas del reloj, describiendo círculos completos en cada rotación. El movimiento nace de la articulación del tobillo. Describe seis círculos en el sentido de las agujas del reloj, seguidos por otros seis en sentido contrario. Relájate, cambia de pierna y repite el ejercicio.

EXTENSIÓN DE ESPALDA, DE RODILLAS

Este ejercicio es muy satisfactorio ya que estira y libera suavemente la espalda. Es una versión de rodillas del ejercicio «Descarga de columna» (véase página 107), que practicarás cuando la gestación esté más avanzada. La extensión de espalda, arrodillada, produce una sensación estupenda cuando se hace al final de un entrenamiento. Para realizar este ejercicio necesitarás una silla estable.

Repeticiones: 1

CONSEJOS

- Evita hundir la espalda; mantén el estómago metido hacia dentro durante todo el movimiento.

- Mientras se estira la columna, no concretes ninguna tensión en la zona de los hombros o del cuello.

- Disfruta de ese prolongado estiramiento de la columna, que sientes también en los brazos y en los costados.

1 Ponte a gatas delante de la silla, con la cabeza separada del respaldo a un brazo de distancia. Mantén las rodillas levemente separadas y mirando hacia fuera. Las caderas deben estar en la vertical de las rodillas, y los hombros en la vertical de las manos. Inspira para prepararte.

2 Espira y extiende los brazos hacia el asiento. Apoya las manos en él a la anchura de los hombros. Siéntate sobre los tobillos. Mantén la posición cinco segundos, respirando normalmente. Regresa a la posición inicial y pon las manos sobre la colchoneta. Repite el ejercicio.

SEGUNDO TRIMESTRE
DEL EMBARAZO

LOS CAMBIOS EN TU CUERPO

Descubrirás que, a medida que crece tu bebé y el vientre se te va redondeando, tu postura también se altera. Es posible que tus hombros empiecen a encorvarse un poco hacia delante debido al peso creciente de tus pechos. El aumento de peso será más notable, y puede que te moleste un poco el volumen. Sin embargo, ¡te sorprenderás al ver cómo admiran tu cuerpo voluminoso todos los que te rodean!

Durante el segundo trimestre del embarazo es cuando experimentas la máxima inestabilidad en los ligamentos y articulaciones en torno a la pelvis. Tus músculos rectos abdominales (la «tableta de chocolate», véase página 12) se separan para dejar sitio a tu bebé.

Ahora es más frecuente la retención de líquidos. Los ejercicios como el «Paseo lunar estático» (véase página 70) y el «Estiramiento de gemelos» (véase página 76) mejoran la circulación y ayudan a reducir los calambres.

Te sentirás más llena de energía, y además esta es la fase en la que empezarás a sentir los primeros y emocionantes movimientos de tu bebé, llamados «movimientos fetales».

¡Esta experiencia increíble te pondrá las pilas! Ten cuidado de no pasarte haciendo ejercicios. El equilibrio entre la relajación, la práctica de ejercicio y salir a tomar mucho aire fresco te ayudará a mantenerte en buena forma física.

PAUTAS PARA EL PERÍODO ENTRE EL CUARTO Y EL SEXTO MES

- No pases más de tres minutos tumbada sobre la espalda en ningún ejercicio.

- Tu vientre, más prominente, afectará a tu equilibrio; muévete suavemente y sin prisas, sobre todo cuando te pongas de pie desde una posición tumbada o sentada.

- Presta atención a tu técnica y a tu postura. La calidad del movimiento es más beneficiosa que la cantidad.

- Evita entrenarte después de comer.

- Antes de empezar la sesión de Pilates, vacía la vejiga; te sentirás más cómoda y no tendrás que interrumpir el entrenamiento.

- Si ahora mantienes tonificados los músculos del estómago, esto ayudará a que los músculos de la «tableta de chocolate» se cierren a las pocas semanas del alumbramiento.

- Deja de hacer ejercicios sobre el estómago, porque te resultarán incómodos. El entrenamiento para el segundo trimestre ofrece ejercicios alternativos para trabajar la espalda.

- Si te sientes mareada, túmbate sobre el costado izquierdo y descansa hasta que se te pase. Ten a mano un cojín grande para que puedas relajarte cómodamente.

- Haz cada día los ejercicios del suelo pélvico. Aprovecha cada vez que entres en contacto con el agua para recordarte que debes hacerlos.

- Tu vientre abultado exigirá un mayor apoyo de los abdominales. Mete estómago regularmente, incluso mientras caminas o haces cola en la caja del supermercado; notarás cómo los abdominales envuelven y levantan a tu bebé.

- Cuando entrenes, haz solo el número de repeticiones que te haga sentir bien. ¡No te excedas!

- Mantente hidratada y asegúrate de beber más durante el entrenamiento.

- Si nunca habías hecho ejercicios de Pilates, al principio te aconsejamos que esperases a esta fase de tu embarazo antes de empezar el programa. Ahora debes consultar los «Ejercicios básicos» (véanse páginas 24-41) y hacer los ejercicios del «Entrenamiento para el primer trimestre» (véanse páginas 42-63), omitiendo los dos ejercicios tumbada boca abajo, que son «La nadadora» y «La cometa». Entonces estarás lista para empezar con la «Tabla para el segundo trimestre».

TABLA PARA EL SEGUNDO TRIMESTRE

Realiza esta tabla de ejercicios al menos tres veces a la semana. Antes, debes siempre preparar tu cuerpo activándolo suavemente, mediante el programa de calentamiento que se especifica más abajo. Así dispondrás de unos minutos para tomar consciencia de la actividad, concentrar tu mente y despertar tu cuerpo. La concentración es vital. Aparca los pensamientos triviales y cotidianos y dedica este tiempo exclusivamente a tu persona.

TABLA DE EJERCICIOS

Estos ejercicios de calentamiento están sacados de la sección «Ejercicios básicos» (véanse páginas 24-41). Hazlos en el orden que se indica a continuación:

Respiración con cabeza inclinada
página 29

Conector abdominal de rodillas
página 35

Hombros arriba y abajo
página 39

Rotaciones de brazos
página 39

Inclinaciones laterales de cabeza
página 41

Ahora ya has calentado los músculos, y estás lista para empezar el entrenamiento para el segundo trimestre. Estudia la «Tabla de secuencia de los ejercicios» y luego aprende a hacerlos.

TABLA DE SECUENCIA DE LOS EJERCICIOS

Paseo lunar estático
página 70

El genio
página 71

Remo sentada
página 72

Corrector de postura
página 74

Sentadillas de esquí
página 75

Estiramiento de gemelos
página 76

Ochos de brazo
página 80

Apertura de pecho
página 81

Ondulación de columna
página 77

Superwoman
página 78

El gato
página 82

El reloj
página 84

Extensión de espalda
página 85

ALTERNATIVA

Puedes realizar este entrenamiento en el segundo trimestre dos veces a la semana, en vez de las tres recomendadas. Sustituye el tercer entrenamiento con los ejercicios indicados a continuación, que hemos elegido de entre los del primer trimestre del embarazo.

Antes de cada entrenamiento, realiza el calentamiento (véase p. 68).
Prensa de pared p. 48
Extensiones de brazo p. 49
Pliés de primer grado p. 50
Curl de Bíceps p. 52
Tonificación de tríceps p. 53

Las puertas del granero p. 54
Rodillas flexionadas p. 55
La almeja p. 58
Presión con pelota p. 61
Giros de tobillo, sentada p. 62
Extensión de espalda, de rodillas p. 63

PASEO LUNAR ESTÁTICO

Este es un ejercicio sencillo y muy beneficioso; mejora la circulación durante el embarazo. Sus movimientos fortalecerán tus pies, las pantorrillas y los músculos de los muslos, además de proporcionarte un mayor equilibrio y una mejor coordinación. El «Paseo lunar estático» es un ejercicio vigorizante para el segundo trimestre de la gestación, y la actividad ideal para introducirte en el entrenamiento.

Repeticiones: 20

CONSEJOS

- Si te cuesta mantener el equilibrio, apóyate en el respaldo de una silla.

- Mantén las caderas siempre a la misma altura y la pelvis inmóvil, y evita movimientos bruscos.

- Estira bien la espalda, concéntrate en la alineación correcta del cuerpo. Los movimientos deben ser lentos, controlados y fluidos.

1 Ponte erguida, con los pies paralelos y a la altura de las caderas. Relaja el cuello y los hombros y mira al frente. Durante todo el ejercicio, mete el estómago hacia dentro y respira con normalidad. Despega del suelo el talón izquierdo, manteniendo el tobillo por encima de los dedos centrales del pie, y con las rodillas hacia delante.

2 Ve bajando el pie izquierdo hacia el suelo, con suavidad, mientras vas despegando del suelo el talón derecho. Pasa el peso del cuerpo de un pie al otro sin mover las caderas. Repite el ejercicio.

EL GENIO

Este ejercicio ayuda a mejorar la movilidad de la parte superior de la espalda. Mientras realices este ejercicio de giro, podrás sentir cómo los músculos de tu espalda se van estirando y contrayendo suavemente. Descansar los dedos sobre los codos te ayuda a relajar los hombros y a concentrarte en estabilizar los omóplatos.

Repeticiones: 10 a cada lado

CONSEJOS

- Mientras giras, mantén las caderas mirando hacia delante.
- Siente cómo se abre el pecho y descarga los hombros.
- Para sentarte erguida y estirar la espalda, imagina que tienes el palo de una escoba atado a la columna.

1 Siéntate sobre un cojín con las piernas cruzadas, para que el peso de tu cuerpo recaiga hacia la pelvis. Coloca la mano izquierda sobre el codo derecho, y viceversa, de modo que un brazo repose sobre el otro. Con suavidad, tira de la cabeza hacia el techo y desplaza hacia abajo los omóplatos. Inspira para prepararte.

2 Mientras espiras, mete el estómago hacia dentro y vuelve el torso hacia la izquierda. Mantén la barbilla alineada con el centro de los brazos. Mientras regresas a la posición inicial, inspira. Repite el movimiento pero hacia la derecha. Sigue alternando entre los lados izquierdo y derecho.

Este ejercicio te permite sentir cómo trabajan los músculos de la zona media de la espalda, y al mismo tiempo mantiene tus brazos en muy buena forma. Fortalecerá los músculos que usarás para tareas como la de sacar a tu bebé del asiento del coche y llevarlo en brazos. Si mantienes fuertes estos músculos evitarás posibles lesiones producidas por los movimientos de levantar y cargar, y evitarás que los hombros se encorven y adoptar hábitos posturales perjudiciales. Realiza la versión estándar o la variante, pero no hagas las dos. Necesitarás una banda elástica.

Repeticiones: 10

CONSEJOS

- Cuidado: evita arquear la espalda. Recuerda usar los músculos del estómago, y mantén la columna en una posición neutra.

- Si no tienes una banda, realiza el ejercicio visualizando la resistencia.

- Imagina que arrastras los brazos por un fango espeso.

- Mantén los brazos bajos, relajando el cuello y los hombros.

- Desplaza los codos hacia atrás en línea recta, paralelos el uno al otro, como si estuvieran ajustados sobre raíles.

1 Siéntate recta sobre un cojín, de modo que tu peso recaiga sobre la pelvis; las rodillas deben estar paralelas y ligeramente flexionadas. Coloca el centro de la banda bajo la zona media de ambos pies. Sostén con firmeza los dos extremos de la banda. Inspira para prepararte, y luego mete el ombligo hacia la columna y estira la espalda de modo que esté bien recta.

2 Espira y, mientras mantienes las muñecas rectas con las palmas mirando hacia dentro, desplaza los codos hacia atrás, hasta que tus meñiques rocen las costillas bajas. Mantén la posición un segundo, presionando suavemente los omóplatos uno hacia el otro, y luego espira y, lentamente, relaja la espalda hasta volver a la posición inicial. Repite la serie.

VARIANTE

Para hacer una variante del «Remo sentada», adopta la misma posición inicial, pero esta vez coloca las palmas de las manos mirando hacia el techo. No flexiones las rodillas. Durante todo el ejercicio las manos deben permanecer en esta posición. Haz el mismo movimiento de remo que se describe en el paso 2. Repite la serie.

CORRECTOR DE POSTURA

Este ejercicio te hace sentir tan bien que querrás practicarlo todos los días. Se concentra en tus hombros, el pecho y la zona superior de la espalda, evitando tensiones y rigidez en estas zonas y liberando los músculos tensos. Practícalo regularmente para fomentar una buena postura y evitar encorvar la espalda y cargar los hombros.

Repeticiones: 2 a cada lado

CONSEJOS

- Mantén la posición correcta durante todo el ejercicio, evitando arquear las lumbares.

- Mantén relajado el hombro del brazo que tengas levantado.

1 Ponte bien recta, con los pies paralelos y separados en la vertical de las caderas. Mira al frente, con la barbilla recta. Inspira y, mientras espiras, mete el estómago hacia la columna. Inspira y estira la espalda mientras levantas el brazo derecho por encima de la cabeza.

2 Inspira y, mientras espiras, flexiona el brazo derecho hacia atrás y desplázalo bajando por tu columna. Inspira y desliza el brazo izquierdo por la espalda, intentando tocarte los dedos de ambas manos. Mantén la posición de seis a ocho segundos, respirando con normalidad. Suelta las manos. Repite el movimiento al otro lado.

VARIANTE

Si no llegas a tocarte los dedos, usa una toalla. Poco a poco, ve subiendo por la toalla la mano que esté más abajo.

SENTADILLAS DE ESQUÍ

Las sentadillas son un ejercicio práctico y funcional que puedes realizar de los tres a los seis meses del embarazo. Este ejercicio abre la pelvis preparándola para el parto. Tonifica los músculos de los muslos y los glúteos, y ayuda a enderezar la espalda. El movimiento de brazos te permite concentrarte en la conexión de los omóplatos. Se trata de un ejercicio sencillo pero efectivo, que debes practicar regularmente.

CONSEJOS

- Mantén la alineación correcta de tu cabeza y cuello.

- Mientras flexionas las piernas, imagina que tu coronilla se va distanciando de tu rabadilla.

- Flexiona las rodillas manteniéndolas sobre el eje central de cada pie.

Repeticiones: 6-8

1 Yérguete con los pies paralelos y separados en la vertical de las caderas. Relaja los hombros y el cuello. Inspira llevando el aire a los costados y la parte trasera de tu caja torácica, y estira la espalda.

2 Espira metiendo el estómago. Durante todo el movimiento mantén esa contracción. Flexiona las rodillas, pivotando hacia delante, y, al tiempo, levanta los brazos al frente, hasta llegar a la altura de los hombros; desciende para adoptar una postura flexionada en la que te sientas a gusto. Inspira, presiona los glúteos y levántate bajando los brazos. Repite el ejercicio.

ESTIRAMIENTO DE GEMELOS

Este estiramiento es estupendo para las pantorrillas tensas, porque libera la tensión acumulada en los gemelos. Tanto si has estado caminando mucho o entrenando, o sencillamente si sientes que tus pantorrillas son cada vez más propensas a tener calambres, este estiramiento es ideal en todo momento. Además, las pantorrillas bien relajadas tienen la ventaja de ser más resistentes a las lesiones.

Repeticiones: 1 a cada lado

CONSEJOS

- Para realizar un buen estiramiento, empuja suavemente las caderas hacia la pared.

- Rodillas, caderas y dedos deben estar mirando hacia delante.

- Respira con normalidad.

- Haz este estiramiento a menudo.

1 De cara a la pared, dobla los codos separados a la altura de los hombros, y apoya en la pared las manos y los antebrazos cruzados. Flexiona la rodilla izquierda y retrasa la pierna derecha, apoyándote sobre los metatarsianos. Durante todo el movimiento, mantén el ombligo metido hacia la columna.

2 Apoya el talón derecho en el suelo, deja que el peso de tu cuerpo se proyecte hacia delante y recaiga en los brazos. Los pies deben mirar al frente. Mantente así entre ocho y diez segundos, sintiendo cómo se estira tu pantorrilla derecha. Relaja los músculos y repite el movimiento con la otra pierna.

ONDULACIÓN DE COLUMNA

Este magnífico ejercicio moviliza tu espalda y libera tensiones. La ondulación no solo potencia la movilidad de la columna, sino que también trabaja tu suelo pélvico y tonifica tus músculos abdominales, además de fortalecer los tendones de la corva, los glúteos y la cara interna de los muslos. Necesitarás una pelota blanda o una toalla enrollada entre las rodillas y, para estar más cómoda, un cojín plano bajo la nuca.

Repeticiones: 6-8

CONSEJOS

- A medida que elevas la columna, imagina cada una de las vértebras. Mientras la bajas, piensa que tu columna es un neumático que, al rodar, va dejando una huella en la colchoneta.

- Despega de la alfombrilla solo las lumbares.

- Tus movimientos deben ser breves y controlados.

- Inicia el movimiento contrayendo los abdominales.

1 Túmbate de espaldas con las rodillas flexionadas, los pies planos en el suelo y separados en la vertical de las caderas. Pon la pelota entre las rodillas. Descansa los brazos a ambos lados del cuerpo, con las palmas apoyadas en la colchoneta. Durante todo el movimiento, mantén los hombros relajados. Inspira llevando el aire a los costados y a la parte trasera de tu caja torácica, y estira la columna.

2 Espira mientras presionas suavemente la pelota entre las rodillas, levantas el suelo pélvico y metes el estómago hacia la columna. Aprieta los glúteos y, lentamente, despega la rabadilla del suelo, haciendo que rote una vértebra tras otra, hasta la altura que te resulte cómoda. Inspira manteniendo esta posición un segundo. Luego, espira mientras, lentamente, devuelves las lumbares a su posición inicial.

Superwoman es un ejercicio estupendo para fortalecer la zona lumbar, y es una variante de «La nadadora» (véase página 56), que se usa en el primer trimestre del embarazo. Este ejercicio, eficaz y completo, se centra en tu espalda baja, media y alta, y usa los glúteos internos y los abdominales inferiores para ayudarte a estabilizarte y mantener el equilibrio. Empieza realizando la versión de brazos (pasos 1 y 2), antes de pasar a la versión de piernas (paso 3). Cuando puedas realizar ambas versiones cómodamente, pasa a la versión que combina brazos y piernas (paso 4).

Repeticiones: 6 de cada versión

CONSEJOS

- Cuando levantes el brazo y/o la pierna, no desplaces todo el peso de tu cuerpo hacia el lado que te sirve de apoyo.

- Evita levantar o bajar las caderas.

- Imagina que tu espalda es una mesa que tiene un vaso de agua encima. ¡No dejes que se vierta ni una gota!

- Evita transferir todo el peso del cuerpo a uno solo de los lados.

- Intenta visualizar cómo los músculos abdominales inferiores envuelven a tu bebé.

1 Para hacer la versión donde solo actúan los brazos, ponte a gatas, con las manos situadas en la vertical de los hombros, y con las rodillas separadas a la anchura de las caderas y justo por debajo de estas. Mantén la espalda en una posición de columna neutra, estírala para alejar la coronilla de la rabadilla, y aleja los hombros de las orejas. Mira al suelo.

2 Inspira llevando el aire a los costados y a la parte trasera de tu caja torácica. Espira mientras metes el ombligo hacia la columna, y extiende y eleva tu brazo derecho, con la palma de la mano hacia abajo, hasta que quede paralela al suelo. Inspira y vuelve a la posición inicial. Repite el movimiento con el brazo izquierdo.

3 Solo con las piernas. Inspira. Espira mientras metes el ombligo hacia dentro, y extiende la pierna derecha hasta que quede paralela al suelo. Si pierdes el equilibrio, levántala un poco. Inspira y regresa al inicio. Repítelo con la pierna izquierda.

4 Combinación de brazo y pierna. Inspira. Espira mientras metes el ombligo hacia dentro y, al mismo tiempo, extiende y eleva el brazo derecho y la pierna izquierda, hasta que ambos estén paralelos al suelo. Mantén el cuello bien estirado. Inspira y, lentamente, regresa a la posición inicial. Repítelo con el brazo izquierdo y la pierna derecha.

OCHOS DE BRAZO

Este magnífico ejercicio te ayuda a tonificar las zonas blandas de la parte trasera de los brazos. Esculpe toda la zona superior del brazo y da forma a los hombros, para conseguir una figura más esbelta. Es muy fácil de hacer y no necesita ningún aparato. Se trata de un movimiento propio de las clases de danza, y te ayudará a afirmar y tonificar rápidamente unos brazos poco atractivos.

CONSEJOS

- Mantén los hombros bajos y alejados de las orejas.

- Asegúrate de ir cambiando correctamente la posición de las palmas de las manos, dado que esto es vital para alcanzar el efecto tonificante deseado.

Repeticiones: 10

1 Yérguete con los brazos relajados a ambos lados del cuerpo y los pies separados en la vertical de las caderas. Mete el ombligo hacia la columna y estira la cabeza hacia el techo. Inspira mientras cruzas los brazos por delante de tu cuerpo, con las palmas ligeramente separadas y mirándose.

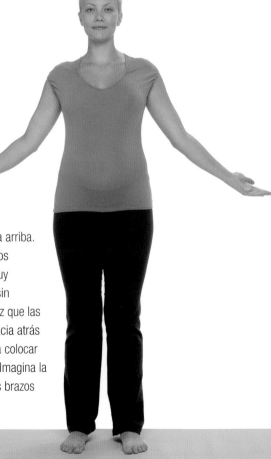

2 Vuelve las palmas hacia arriba. Espira mientras abres los brazos y los mueves muy ligeramente hacia atrás, pero sin forzarlos. Mientras inspiras, haz que las palmas de las manos miren hacia atrás al mismo tiempo que vuelves a colocar los brazos delante del cuerpo. Imagina la figura del ocho que dibujan tus brazos en el aire. Repite el ejercicio.

Este movimiento reduce la tensión acumulada en los hombros y en los músculos de la parte superior de la espalda, y ayuda a mejorar tu postura. Produce un estiramiento muy agradable y te da la sensación de que tu pecho se expande. Si lo practicas regularmente, te ayudará a combatir los hombros cargados y evitará que se tensen demasiado los pectorales. Haz este ejercicio cuando hayas estado mucho rato delante del ordenador o sentada a una mesa.

CONSEJOS

- Si te resulta difícil cogerte las manos a la espalda, toma una toalla enrollada, dejando las manos a una distancia de unos 5-7,5 centímetros.

Repeticiones: 1

1 Yérguete con los pies separados en la vertical de las caderas y el peso del cuerpo distribuido entre los dos pies. Relaja los hombros, el cuello y la mandíbula. Pon las manos a la espalda y cógetelas suavemente, pero sin entrelazar los dedos.

2 Inspira llevando el aire a los costados y detrás de tu caja torácica. Espira mientras metes el estómago, elevando y haciendo retroceder un poco los brazos. Deja que tus hombros desciendan abriéndose y mira al frente. Respira normalmente y mantén la postura entre seis y ocho segundos. Lentamente, baja los brazos y suelta las manos.

EL GATO

Cuando realices este ejercicio, imagina uno de esos estiramientos sinuosos, sensuales y tremendamente satisfactorios que hacen los gatos. Es un movimiento estupendo para aumentar la movilidad de la columna, y a menudo ayuda a aliviar dolores lumbares y de espalda. A veces, el peso creciente de tu bebé hace que la zona lumbar de tu espalda se arquee. Si te pones a gatas, la presión sobre esa zona disminuye.

Repeticiones: 3-5

CONSEJOS

- Observa cómo el estiramiento va desplazándose por tu columna, y mantén el movimiento suave y controlado.

- Relaja los hombros para que no se alcen hacia las orejas.

- Evita bloquear los codos; deben estar relajados.

- Nunca arquees hacia abajo la zona lumbar. Empieza y acaba el ejercicio con una posición neutra de columna.

- Distribuye el peso entre los dos brazos.

1 Ponte a gatas, con las manos justo en la vertical de los hombros y separadas a la altura de las caderas. Mira a la colchoneta. Estira la cabeza separándola del cóccix y mantén una posición neutra de columna. Con cuidado, desliza tus omóplatos hacia abajo.

2 Inspira insuflando el aire en los costados y en la parte trasera de tu caja torácica. Espira mientras metes estómago. Inicia el movimiento arqueando el sacro. Luego, lentamente, procura que el estiramiento suba por la columna, una vértebra tras otra, llegando hasta el cuello y la cabeza. Cuando el estiramiento llegue al cuello, inclina hacia el suelo la coronilla. Inspira. Empezando el movimiento desde el sacro, ve bajando lentamente la espalda hasta la posición de columna neutra y desliza los omóplatos hacia atrás para recuperar la posición inicial.

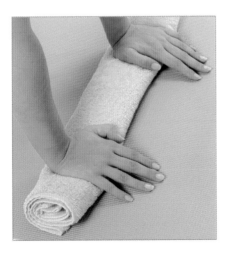

VARIANTE

Si este ejercicio te carga mucho las muñecas o padeces el síndrome del túnel carpiano, intenta practicarlo apoyando la parte baja de las palmas de las manos sobre una toalla enrollada. Esto contribuye a reducir el ángulo de tus muñecas. A medida que tu bebé vaya aumentando de tamaño, quizá prefieras limitarte a ponerte a gatas para respirar, en cuyo caso puedes practicar el «Conector abdominal de rodillas» (véase página 35).

EL RELOJ

Este es un ejercicio muy cómodo para realizar a medida que tu bebé aumenta de peso. «El reloj» está inspirado en un movimiento de las clases de danza, pero haciendo círculos breves y controlados, que no solo afirman los glúteos sino que también tonifican la zona interna y externa de los muslos. Es perfecto para trabajar zonas que durante el embarazo son de difícil acceso.

CONSEJOS

- Mantén las caderas mirando hacia delante.

- Coloca un cojín entre tu cabeza y el brazo.

- El hombro del brazo donde te apoyas debe estar relajado.

Repeticiones: 5 en el sentido de las agujas del reloj y 5 en sentido contrario, a cada lado

1 Túmbate sobre el costado izquierdo, con una cadera en la vertical de la otra. Estírate bien, e imagina que hay un eje que pasa por tu oreja, el centro de tu hombro, tu cadera y tu tobillo. Alarga el brazo izquierdo por encima de la cabeza, con la palma de la mano mirando hacia arriba, y coloca delante de ti el brazo derecho.

2 Inspira. Espira metiendo el estómago hacia la columna. Lentamente, eleva la pierna derecha hasta que el pie esté a la altura de la cadera. Mientras respiras normalmente, dibuja cinco círculos breves con el pie en cada dirección. Repite el ejercicio tumbada sobre el costado derecho.

EXTENSIÓN DE ESPALDA

A medida que tu bebé vaya creciendo, cada vez te costará más tumbarte boca abajo, pero hay tareas cotidianas, como pueden ser pasar el aspirador o regar las plantas, que te obligarán a inclinarte hacia delante. Esas flexiones se pueden equilibrar con este ejercicio, que abre el pecho y estira la zona superior de la espalda, pero sin trabajar la zona lumbar.

CONSEJOS

- Evita levantar demasiado la barbilla.

- No debes proyectar hacia delante el tórax. Asegúrate de que metes el estómago durante todo el ejercicio.

Repeticiones: 4-8

1 Siéntate erguida sobre un cojín, con las rodillas flexionadas, las plantas de los pies apoyadas en el suelo y separadas a una distancia que te resulte cómoda. Apoya los dedos de las manos en el suelo, a los lados del cuerpo. Inspira y estira la columna hacia arriba.

2 Mientras espiras y metes el ombligo hacia la columna, levanta la parte superior del pecho hacia el techo; al mismo tiempo, desliza espalda abajo los omóplatos. Deja que tu mirada se desplace de forma natural, es decir, que pases de mirar al frente a subir la vista por la pared. Mientras inspiras, mantén la posición. Al espirar, haz que la espalda vaya descendiendo hasta la posición inicial. Repite el movimiento.

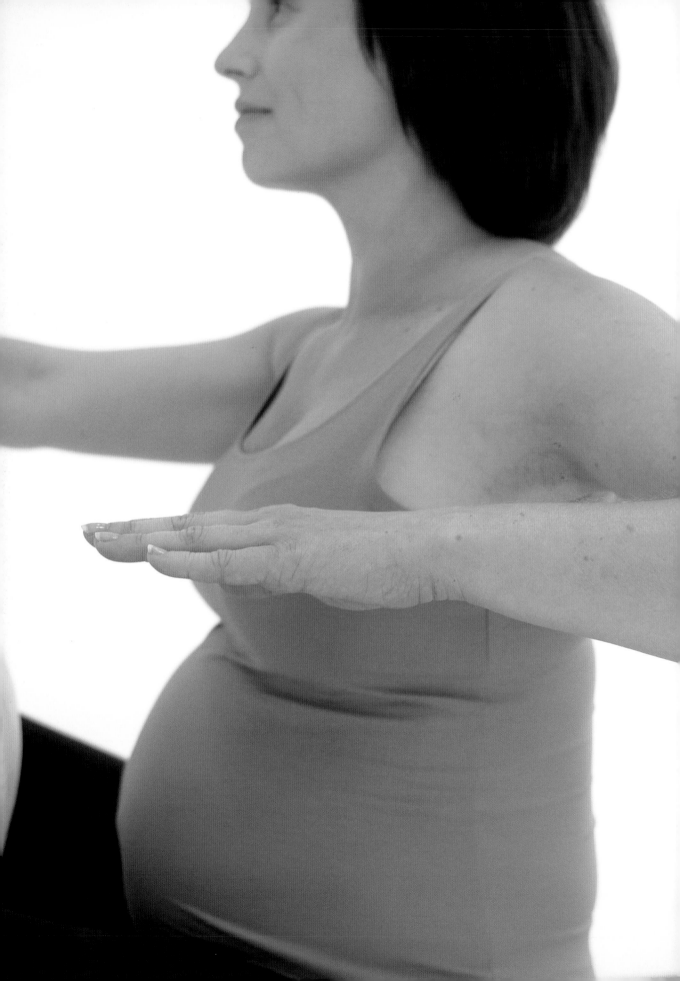

TERCER TRIMESTRE

DEL EMBARAZO

LOS CAMBIOS EN TU CUERPO

A estas alturas del embarazo, tu bebé se está acomodando mejor en el útero. Puede que esto le resulte muy cómodo, pero a medida que vas aumentando de peso, hasta aproximadamente las 36 semanas, a ti te hace sentir más torpe y menos ágil.

Ahora se acentúan los cambios en tu postura y en tu forma de caminar, y resulta normal que te duela la zona lumbar y notes molestias en la espalda. El nivel de hormonas mantiene sueltas tus articulaciones, lo cual hace que sea incluso más importante que antes conservar la alineación del cuerpo y la postura correctas. A partir de la semana 28, más o menos, es posible que tus pechos empiecen a segregar calostro, y que sientas contracciones.

La expansión del útero puede presionar tu diafragma y hacer que respires agitadamente. Los patrones de respiración Pilates que has aprendido pueden ayudarte a aliviar esa sensación.

Muchas mujeres descubren que les cuesta más concentrarse, y su memoria a corto plazo se ve bastante afectada. Esto es completamente normal, ¡teniendo en cuenta que tus hormonas están como locas y que concentras en tu bebé la mayor parte de tus pensamientos!

En estos momentos vives una fase muy hermosa que te prepara poco a poco para el parto. Aprovéchala sabiamente. Reserva algunos momentos para disfrutar del lujo de estar contigo misma. Concédete pequeños placeres, y espera con emoción la llegada de tu bebé.

PAUTAS PARA EL PERÍODO ENTRE EL SÉPTIMO Y EL NOVENO MES

- En todos los exámenes prenatales, consulta con tu médico o con tu comadrona si puedes continuar haciendo los ejercicios Pilates.

- Durante la transición de un ejercicio a otro, evita las prisas. Cuando te levantes de la posición estirada en el suelo, hazlo suave y lentamente (véanse páginas 18-19). No te esfuerces demasiado, no te agotes ni te quedes sin aliento.

- Procura no hacer ejercicio después de las comidas. Esto es muy importante para evitar el ardor de estómago y la indigestión.

- Antes de empezar a hacer ejercicio, vacía la vejiga; te sentirás más cómoda y no tendrás que interrumpir el programa más adelante.

- Si tienes contracciones preparatorias durante un ejercicio, deja de hacerlo si te encuentras mal. Aunque no sean perjudiciales, puede que te quiten las ganas de seguir.

- Haz cada día los ejercicios del suelo pélvico. Puedes usar como recordatorio cada momento en que entres en contacto con el agua. Como preparación para el parto, un ejercicio que resulta especialmente positivo es la «Extensión diamante» de la página 96.

- Cuidado con la postura. Yérguete, camina con soltura y mete el estómago. Los ejercicios posturales Pilates que hemos elegido para el tercer trimestre de la gestación trabajan los músculos entre los omóplatos, con el fin de evitar los hombros caídos y fortalecer los músculos de la espalda media.

- Cuando te sientes en el suelo, usa un cojín o un bloque rígido de gomaespuma.

- Debes practicar regularmente los ejercicios que fomentan la buena circulación, como los «Giros de tobillo» de la página 62, el «Paseo lunar estático» de la 70, y el «Arriba y abajo» de la página 95.

- Los estiramientos de gemelos, en la pantorrilla, te ayudan a sentirte bien y a evitar las contracturas. Usa el «Estiramiento de gemelos», en la página 76, y su versión sentada, en la 100.

- Presta atención a la técnica y a la postura. La calidad de los movimientos es más importante que la cantidad de los mismos.

- Como preparación para dar a luz, practica las «Sentadillas de pared», en la página 102. En esta posición, la pelvis se abre y la cabeza del bebé presiona hacia abajo. En la fase cercana al nacimiento, este ejercicio resulta muy útil.

- Evita hacer varios ejercicios seguidos de pie y mantener los estiramientos más tiempo del que se recomienda para cada ejercicio.

- Si se te hinchan los dedos o las manos, usa los «Reductores de tensión» de la página 103 para aliviar el problema.

- Si algo te duele, PARA. Esa es la forma que tiene tu cuerpo de decirte que algo no va bien.

TABLA PARA EL TERCER TRIMESTRE

Debes realizar esta tabla de ejercicios tres veces por semana, o al menos una vez cuando la combines con otros dos entrenamientos (véanse páginas 92-93). Prepárate siempre moviendo suavemente el cuerpo, usando el programa de calentamiento que te proponemos. Esto te concederá algunos minutos para que aumentes la consciencia de tu cuerpo, centres tu mente y despiertes tu organismo. La concentración es vital. Aparta de tu mente los asuntos cotidianos y dedícate tiempo.

EJERCICIOS DE CALENTAMIENTO

Estos ejercicios provienen de la sección «Ejercicios básicos» (véanse páginas 24-41). Debes hacerlos en el orden que te indicamos:

**Respiración con
cabeza inclinada**
página 29

Conector abdominal de rodillas
página 35

Hombros arriba y abajo
página 39

Rotaciones de brazos
página 39

**Inclinaciones laterales
de cabeza**
página 41

Ahora ya has precalentado y estás lista para empezar el entrenamiento del tercer trimestre.
Estudia la «Tabla de secuencia de los ejercicios» y luego aprende cómo se hace cada uno.

TABLA DE SECUENCIA DE LOS EJERCICIOS

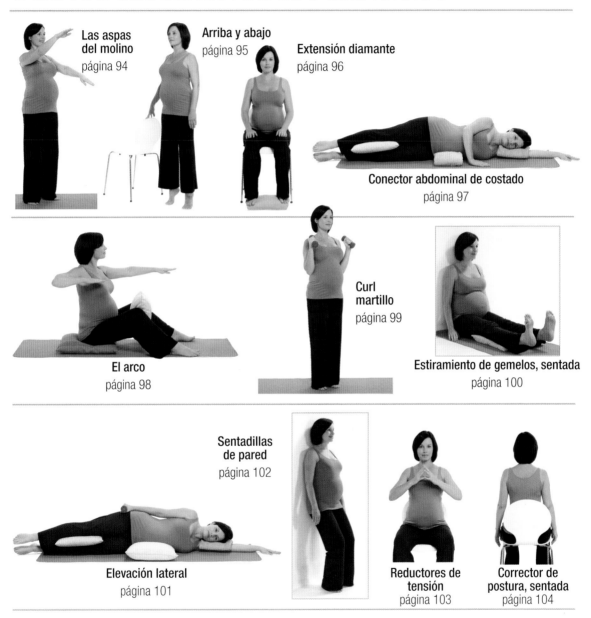

Las aspas del molino
página 94

Arriba y abajo
página 95

Extensión diamante
página 96

Conector abdominal de costado
página 97

El arco
página 98

Curl martillo
página 99

Estiramiento de gemelos, sentada
página 100

Sentadillas de pared
página 102

Elevación lateral
página 101

Reductores de tensión
página 103

Corrector de postura, sentada
página 104

Extensión de tríceps lateral
página 106

Descarga de columna
página 107

ENTRENAMIENTO ALTERNATIVO

Ahora te vamos a mimar mucho con los ejercicios de Pilates. Vas a tener la oportunidad de elegir tu combinación favorita de programas. A estas alturas es posible que te sientas pesada y poco ágil, y que te canses con más facilidad, así que mantén la motivación y el estímulo creando un programa equilibrado a partir de las siguientes sugerencias. Asegúrate de que tu médico está de acuerdo en que sigas haciendo gimnasia, y ten en cuenta que cada sesión te prepara y fortalece para la llegada de tu bebé. Recuerda también que, si ahora practicas ejercicio, después del parto recuperarás mucho más rápidamente tu figura.

En la página siguiente encontrarás dos opciones de entrenamiento basadas en los ejercicios que has realizado hasta el momento. Puedes ir combinando las tablas de ejercicios todo el tiempo que quieras, mientras una de las sesiones sea la del «Entrenamiento para el tercer trimestre» (véase página 91). Sin embargo, no mezcles los ejercicios de diferentes programas, dado que cada programa está equilibrado. Pero podrías, por ejemplo, realizar el «Entrenamiento Uno» el primer día; descansar un día y hacer el «Entrenamiento Dos»; descansar otro día y ejecutar el «Entrenamiento para el tercer trimestre», y así acabarías tus tres sesiones semanales. También puede que te apetezca llevar a cabo las tres sesiones con el «Entrenamiento para el tercer trimestre»: tú eliges.

Antes de iniciar tus entrenamientos, prepárate siempre moviendo suavemente el cuerpo, mediante los seis movimientos de calentamiento extraídos de tus «Ejercicios básicos» de Pilates (véanse páginas 24-41) que has venido practicando hasta ahora. Aparecen otra vez en la página 90. Debes hacerlos en el orden que se indica.

LAS ASPAS DEL MOLINO

Este ejercicio te permitirá mejorar tu postura y concentrarte en liberar la tensión acumulada en el cuello y en los hombros. Tal y como sugiere su nombre, el movimiento fluido y relajado de los brazos imita los giros de las aspas de un molino. Sin duda, se trata de una introducción perfecta al «Entrenamiento para el tercer trimestre».

Repeticiones: 8-10

CONSEJOS

- Durante todo el ejercicio mantén el estómago metido hacia la columna.

- Evita arquear la espalda.

- Relaja el cuello y mantén los omóplatos hacia abajo.

1 Yérguete situando los pies a la altura de las caderas, con las rodillas y las caderas mirando hacia delante. Estira bien toda la columna. Relaja los brazos a los lados del cuerpo, con las palmas de las manos hacia atrás. Inspira y espira metiendo el ombligo hacia la columna. Extiende el brazo izquierdo hacia el techo, con la palma de la mano hacia delante, manteniendo inmóvil el brazo derecho.

2 Inspira y baja el brazo izquierdo hasta su posición original, mientras levantas el brazo derecho hacia el techo. Tus brazos se deben cruzar a la altura del pecho, con las palmas de las manos hacia abajo. Continúa alternando los movimientos de brazo siguiendo un ritmo suave.

ARRIBA Y ABAJO

El ejercicio «Arriba y abajo» incorpora sentadillas suaves y elevaciones de talón, y fomentará la consciencia de una buena alineación corporal. Este ejercicio multifuncional aumenta la fortaleza de la cara anterior del muslo, ayuda a estabilizar las rodillas y, al mismo tiempo, proporciona un buen estiramiento para las piernas. También contribuye a mejorar la circulación.

CONSEJOS

- Evita sacar demasiado el trasero.

- Concéntrate en mantener el equilibrio y en hacer movimientos suaves.

Repeticiones: 8-10

1 Sitúate al lado de una silla rígida, con los pies separados en la vertical de las caderas. Si es necesario, apoya una mano en la silla. Inspira enviando el aire a los lados y a la parte posterior del tórax. Mientras espiras, estira la columna y flexiona las rodillas con los talones pegados al suelo.

2 Inspira y estira las rodillas. Mientras espiras, tira de la cabeza hacia el techo y ponte de puntillas. El sacro debe apuntar hacia el suelo. Inspira y desciende hasta la posición inicial. Repite el movimiento.

Este ejercicio es para el suelo pélvico y se trata de una variación de «El ascensor» (véase página 33), que te enseñaba a levantar y bajar los músculos del suelo pélvico. Ahora, con la «Extensión diamante» la cabina del ascensor baja hasta el sótano. La práctica de este ejercicio es vital para estar bien preparada cuando nazca tu bebé. Asegúrate de ir al baño antes de empezar, dado que este ejercicio te enseñará a liberar por completo el suelo pélvico.

Repeticiones: 5-8

CONSEJOS

- Este ejercicio no es difícil, pero requiere una práctica regular en los momentos previos al parto.

- Persevera: la «Extensión diamante» te ayudará a aprender cómo se libera el suelo pélvico en momentos cruciales.

Siéntate erguida en una silla estable. Descansa las manos sobre los muslos y coloca los pies planos sobre una toalla doblada, un *step* de aeróbic o una guía telefónica, separados en la vertical de las caderas. Practica «El ascensor» igual que antes, conduciendo la cabina hasta el ático. Cuando liberes el suelo pélvico para llegar a la planta baja, relájate y haz que descienda hasta el sótano. Con un poco de práctica podrás relajarte lo suficiente como para liberar por completo el suelo pélvico. Repite el movimiento.

CONECTOR DE COSTADO

Este ejercicio es una variante del «Conector abdominal» (véase página 34). Lo realizarás tumbada de costado, lo cual es ideal para trabajar la zona en la última fase de la gestación y mejorar la estabilidad de la faja abdominal. Fortalecerá los músculos que estabilizan la columna, la zona lumbar y la pelvis. Dado que tanto tú como tu bebé habéis llegado a la fase más pesada del embarazo, ahora es más importante que nunca que ofrezcas un buen punto de apoyo al hueco de la cadera y a la zona lumbar.

CONSEJOS

- Evita levantar el hombro del brazo en que te apoyas.

- No debes permitir que tu cintura se hunda.

- Para apoyarte durante este ejercicio, usa dos o tres cojines, o toallas dobladas.

Repeticiones: 2-3

1 Túmbate de costado, con una cadera justo en la vertical de la otra. Estira bien el cuerpo, desde la coronilla hasta los talones. Pon una toalla doblada entre la cabeza y el brazo izquierdo, otra debajo del hueco de la cintura y una tercera entre las rodillas. Apoya la mano derecha en el suelo, delante de ti y a la altura de la cintura.

2 Flexiona las rodillas hacia delante hasta que tus muslos formen un ángulo de 45 grados con respecto al cuerpo. Inspira como preparación. Mientras espiras, eleva el suelo pélvico y mete el ombligo hacia la columna. Respira normalmente y mantén la contracción abdominal de tres a cinco inspiraciones. Relájate.

EL ARCO

Este es un ejercicio moderado que te ayuda a rotar la columna mientras realizas un estiramiento suave del cuerpo. Trabajarás los músculos de la cintura y también te permitirá abrir el torso cuando ejecutes un movimiento de giro lento y controlado. Haz este ejercicio mientras estás sentada en un cojín, y, para estar más cómoda, colócate otro entre las rodillas.

CONSEJOS

- Procura que el cuerpo de tu peso no presione con fuerza sobre tus caderas.

- Desliza espalda abajo los omóplatos.

Repeticiones: 5 a cada lado

1 Siéntate erguida con las rodillas flexionadas y los pies separados a una distancia cómoda. Pon un cojín entre las rodillas para una correcta alineación del suelo pélvico. Estira los brazos a la altura de los hombros y con las palmas mirando al suelo.

2 Inspira y mantén bajos los omóplatos y el cuello relajado. Ahora espira y mete el ombligo hacia la columna. Inspira y flexiona el codo del brazo derecho para llevar la mano derecha hacia el pecho, como si estuvieras tensando la cuerda de un arco.

3 Ahora continúa estirando el brazo derecho, de forma que lo sitúes en diagonal por detrás de la espalda. Debes seguir con los ojos el movimiento de la mano. Presiona las rodillas. Espira y devuelve el brazo derecho a su posición inicial, describiendo un arco amplio. Repite cuatro veces el movimiento y luego practícalo con el brazo izquierdo.

CURL MARTILLO

Este movimiento es una variante del «Curl de bíceps» (véase página 52), pero se trabaja más la cara exterior del brazo superior, tonificando sus músculos. Hará que tus brazos estén más torneados y parezcan más largos, ¡y los brazos cuidados son de lo más sexy! El «Curl martillo» produce unos resultados envidiables. Para realizar este ejercicio necesitarás un par de mancuernas de medio kilo o de un kilo.

Repeticiones: 6-10

CONSEJOS

- Cuando estires los brazos, no llegues hasta el punto máximo de estiramiento, para que los codos no se bloqueen.

- Sube y baja las mancuernas sin balancear los brazos: tus bíceps trabajarán.

1 Yérguete y sostén una mancuerna en cada mano. Coloca los brazos a ambos lados del cuerpo, con las palmas de la mano mirando hacia dentro. Sitúa los pies separados a la altura de las caderas, con las rodillas ligeramente flexionadas. Inspira y estira la espalda.

2 Espira y mete el estómago hacia dentro y levanta las mancuernas hacia los hombros. Mientras levantas las pesas mantén los codos pegados al cuerpo, y, cuando llegues al punto más alto, aprieta los bíceps. Espira mientras bajas lentamente los brazos hasta la posición inicial. Repite el movimiento.

ESTIRAMIENTO DE GEMELOS, SENTADA

Este es un ejercicio funcional, muy adecuado para la última etapa del embarazo. Cuando aumenta el riesgo de edema (retención de líquidos), el «Estiramiento de gemelos, sentada» no solo te ayudará a evitar los calambres, sino que también mejorará la amplitud de movimientos de los tobillos y aliviará los pies cansados e hinchados. Uno de los beneficios secundarios es que activa la circulación en las piernas.

Repeticiones: 8-10

CONSEJOS

- Mete ligeramente el ombligo hacia la columna.

- Durante todo el ejercicio, respira con normalidad.

- Para realizar este estiramiento tendrás que usar un cojín grande.

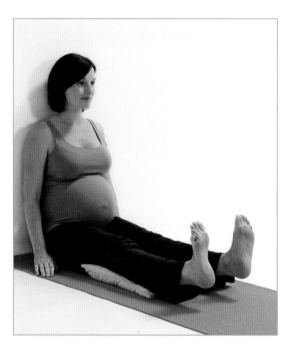

1 Siéntate en el suelo con la espalda apoyada en una pared y coloca un cojín grande debajo de las rodillas. Empuja los tobillos hacia fuera y flexiona los dedos mirando al techo. Mantén la posición dos segundos.

2 Ahora, estira los dedos hacia el suelo y mantén la posición durante dos segundos. Repite el ejercicio, flexionando sucesivamente los dedos hacia arriba y abajo.

Este estupendo ejercicio tonifica los músculos de la zona central del hombro. Teniendo en cuenta que durante bastante tiempo llevarás en brazos a un bebé, es esencial fortalecer esta zona. El músculo que trabajas tiene una labor de estabilización cuando levantas objetos pesados y, como tu bebé empezará a ganar peso rápidamente, tendrás que estar bien preparada. Para este ejercicio elige una mancuerna de medio kilo.

CONSEJOS

- Si ves que el cuerpo se te inclina hacia atrás, apóyate en una pared.

- Para evitar rotar el hombro, mantén la cara interna del brazo mirando hacia abajo.

- Durante todo el ejercicio mantén el estómago metido hacia dentro.

Repeticiones: 6-10 a cada lado

1 Túmbate sobre el costado izquierdo, con una cadera en la vertical de la otra. Estira el cuerpo, de la cabeza a los tobillos. Mete un cojín plano entre la cabeza y el brazo izquierdo, otro debajo de la cintura y un tercero entre las rodillas. Sostén la mancuerna con la mano derecha, apoyándola en la cara exterior de tu muslo derecho.

2 Flexiona las rodillas hacia delante hasta que las piernas formen un ángulo de 45 grados con respecto al cuerpo. Flexiona ligeramente el codo izquierdo, manteniéndolo en línea con tu cuerpo. Inspira y, entonces, mientras espiras, eleva lentamente la mancuerna, levantando el brazo hasta que esté en un ángulo de 45 grados con respecto al cuerpo. Inspira y, lentamente, ve bajando la mancuerna hasta la posición inicial. Repite el ejercicio.

SENTADILLAS DE PARED

Este es uno de los más eficaces movimientos que puedas realizar. Es genial para fortalecer los muslos, los glúteos y la zona lumbar de la espalda; también estira los gemelos de las pantorrillas y mejora tu postura. Te ayuda a concentrarte en estirar la zona lumbar, y a mantener una alineación correcta de la pelvis. Estas flexiones son igualmente beneficiosas para la pelvis, como preparación para el parto.

Repeticiones: 6-10

CONSEJOS

- Durante el ejercicio, mantén el estiramiento dorsal, como para alejar el cóccix de la cabeza.

- Aguanta el estómago metido hacia dentro todo el rato.

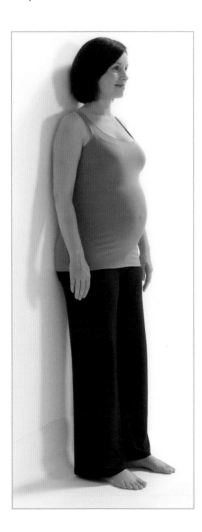

1 Sitúate con la espalda apoyada en la pared, colocando los talones a unos 15 cm de ella. Los pies deben estar separados en la vertical de las caderas, con las rodillas y los dedos mirando hacia delante. Apóyate en la pared, pero sin descansar en ella la cabeza, y relaja los hombros y el cuello.

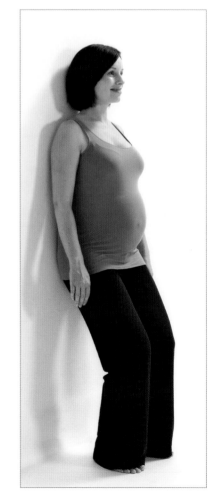

2 Inspira enviando el aire a los costados y detrás del tórax. Espira y mete el ombligo. Respirando normal, flexiona las rodillas y desliza un poco la espalda por la pared. Luego, vuelve a deslizarla pared arriba hasta recuperar la posición inicial.

REDUCTORES DE TENSIÓN

Este ejercicio ayuda a disminuir la retención de líquidos. Por lo general, se hinchan los pies y los tobillos, pero también pueden hincharse las manos y las muñecas. Si ves que se te hinchan los dedos, realiza este sencillo y eficaz ejercicio, que puedes practicar en cualquier lugar.

Repeticiones: 1 con 8 segundos de retención (paso 1), más otros 8 (paso 2)

CONSEJOS

- Relaja el cuello y los hombros.

- Si los pies no te llegan bien al suelo, coloca un *step* o una toalla doblada debajo de los pies.

1 Siéntate erguida en una silla y sitúa las manos a la altura del pecho, unidas por las puntas de los dedos. No permitas que las palmas se toquen. Presiona firmemente las puntas de los dedos. Respira con normalidad, y mantén la presión durante ocho segundos. Luego separa las manos y, dejándolas caer a ambos lados de la cadera, sacúdelas para liberar la tensión.

2 Flexiona los brazos y rota cuatro veces una muñeca en la dirección de las agujas del reloj, mientras rotas la otra, también cuatro veces, en el sentido contrario. Repite el ejercicio cuatro veces.

CORRECTOR DE POSTURA, SENTADA

El «Corrector de postura» es el ejercicio más idóneo para trabajar los músculos de la zona superior de la espalda. Este movimiento sutil reduce eficazmente los dolores de espalda y mejora tu postura; sus beneficios son evidentes. Si ves que los pies no te llegan bien al suelo, coloca debajo de ellos una toalla doblada, un cojín duro o un *step* de gimnasia.

Repeticiones: 6

CONSEJOS

- Mira al frente y mantén el cuello en línea con la espalda.

- Mientras presionas los omóplatos, advertirás cómo se contraen los músculos situados entre ellos.

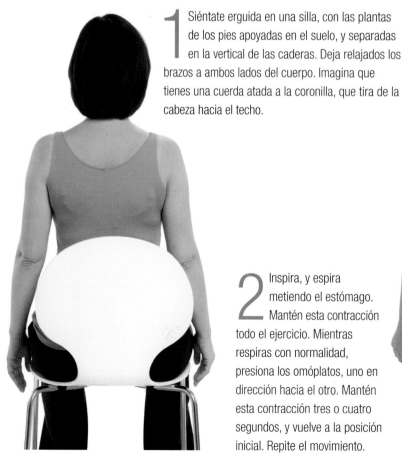

1 Siéntate erguida en una silla, con las plantas de los pies apoyadas en el suelo, y separadas en la vertical de las caderas. Deja relajados los brazos a ambos lados del cuerpo. Imagina que tienes una cuerda atada a la coronilla, que tira de la cabeza hacia el techo.

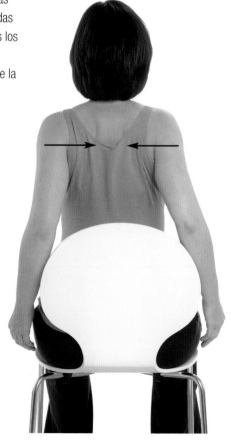

2 Inspira, y espira metiendo el estómago. Mantén esta contracción todo el ejercicio. Mientras respiras con normalidad, presiona los omóplatos, uno en dirección hacia el otro. Mantén esta contracción tres o cuatro segundos, y vuelve a la posición inicial. Repite el movimiento.

CORRECTOR DE POSTURA, DE PIE

La versión del «Corrector de postura, sentada» (paso 1) resulta especialmente útil cuando estás haciendo cola en la caja del supermercado o en el banco. También existe una variación sencilla (paso 2) que trabaja la misma zona, pero que además te permite trabajar los grandes músculos a los lados de la espalda, que estabilizan el tronco.

Repeticiones: 6 de cada paso

CONSEJOS

- Observa detenidamente cómo trabajan los grandes músculos a ambos lados de la espalda.

- Mientras los mueves adelante y atrás, mantén los antebrazos paralelos y al mismo nivel. No permitas que pierdan la horizontal.

Realiza exactamente el mismo ejercicio que el «Corrector de postura, sentada» (véase página anterior), pero esta vez de pie. Recuerda que los hombros deben estar distendidos y el cuello relajado.

VARIANTE

Yérguete con la postura correcta, con los pies separados en la vertical de las caderas y con los dedos de los pies mirando hacia delante. Eleva los brazos hasta la altura de los hombros, y luego flexiona los codos en ángulo recto, con los antebrazos paralelos y las palmas de las manos mirando al suelo. Mete el estómago hacia la columna y, respirando con normalidad, desliza los codos hacia atrás sin mover los hombros, y luego devuelve los brazos a la posición inicial. Repite el ejercicio.

EXTENSIÓN DE TRÍCEPS LATERAL

Este ejercicio, que se concentra en los músculos situados en la parte trasera de los brazos, es una forma cómoda de trabajar esa zona. Tonificará los brazos blandos, manteniéndolos bien fuertes para que puedas levantar y llevar en brazos a tu bebé. Usa varios cojines para apoyarte, y una mancuerna de medio kilo.

Repeticiones: 6-10 a cada lado

CONSEJOS

- Cuando estires el brazo, no bloquees el codo.

- Cuando sostengas la mancuerna, no dobles la muñeca.

- Durante todo el ejercicio, mantén el estómago metido hacia dentro.

1 Túmbate sobre el lado izquierdo, con una cadera en la vertical de la otra. Estira todo el cuerpo. Pon una toalla doblada entre tu cabeza y tu brazo izquierdo, un cojín debajo de la barriga y otro entre las rodillas. Coge la mancuerna con la mano derecha, apoyándola en tu muslo derecho.

2 Flexiona las rodillas hasta formar un ángulo de 45 grados con respecto al cuerpo. Inspira y flexiona el brazo derecho, situando la mano con la mancuerna al lado de la oreja, con el codo apuntando al techo. Espira mientras metes el estómago hacia dentro, y levanta la mancuerna hacia el techo. Inspira y baja el brazo hasta la posición inicial. Repite el ejercicio.

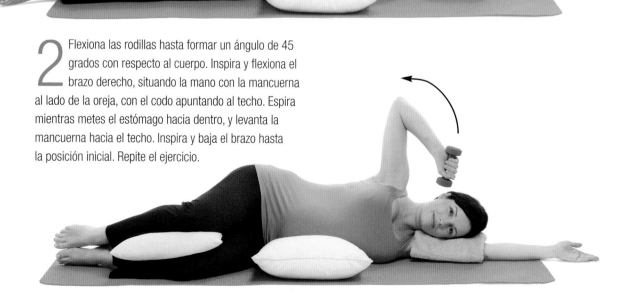

DESCARGA DE COLUMNA

La «Descarga de columna» estira la espina dorsal y provoca un despliegue completo de toda la espalda. Ayuda a aliviar la presión y la tensión en la zona alta de la espalda y en la zona lumbar, y contribuye a abrir la pelvis. Haz este ejercicio siempre que te duela la espalda, o después de un entrenamiento o un día agotador. Necesitarás algunos cojines grandes.

Repeticiones: 1

CONSEJOS

- Relaja todos los músculos y las articulaciones.

- Imagina que estás tumbada en la arena cálida de la playa y que te vas fundiendo en ella. Disfruta de esta sensación relajante.

- A lo mejor, si pones música suave te resulta más fácil relajarte.

1 Apila algunos cojines grandes delante de tu cuerpo. Arrodíllate sobre un cojín, con las rodillas ligeramente separadas y los pies cerca de las nalgas. Relaja el cuello y los hombros.

2 Apoya las palmas de las manos en el suelo, delante de ti, y ve avanzándolas hacia los cojines. Apoya la cabeza y los brazos sobre los cojines y relájate, volviendo la cabeza hacia un lado y estirando la columna. Respira con naturalidad y mantén la postura un minuto. Con cuidado, regresa a la posición inicial.

DESPUÉS DEL PARTO

LOS CAMBIOS EN TU CUERPO

¡Enhorabuena! Ya tienes a tu bebé. Las próximas semanas serán muy emocionantes e intensas. Empezarás a ajustar tu vida para cuidar al nuevo miembro de la familia, pero también debes encontrar momentos para cuidar de ti misma.

Ahora tus pechos producen leche. Por supuesto, que tu hijo se alimente de ella es lo mejor, y contribuirá a crear un vínculo de amor entre los dos. Sin embargo, ¡al principio no es esa experiencia mágica que habías imaginado! Puede que te duelan los pezones y sientas molestias en los pechos, causadas por un nuevo aumento de su tamaño debido al flujo de leche.

Tu útero tardará unas seis semanas en volver a su tamaño normal. Es posible que, poco después del parto, sientas que se contrae. Estas contracciones son más intensas cuando le das el pecho al bebé.

A las 24 horas del parto, deberías estar en condiciones de reanudar tus ejercicios del suelo pélvico.

Si te han practicado una cesárea, también es importante que empieces a trabajar el suelo pélvico lo antes posible, siempre que tu médico o comadrona te haya dado permiso. Puede que descubras que, la primera vez que te pongas de pie, tienes una sensación extraña en la zona de la cesárea. Quizá esta sensación incómoda te induzca a inclinarte hacia delante, y a encorvar la espalda, mientras intentas, inconscientemente, aliviar la molestia en esa zona de la cicatriz. Es posible que en esta fase te cueste mantener una buena postura.

Naturalmente, primero pensarás en las necesidades de tu bebé, pero no debes descuidar tu salud. Si te recuperas bien serás una mamá más fuerte y preparada para enfrentarte a las exigencias del recién nacido.

PAUTAS PARA LAS PRIMERAS SEIS SEMANAS DESPUÉS DE UN PARTO VAGINAL

- Los ejercicios para las seis semanas posteriores a un parto vaginal no revisten ningún peligro para ti, siempre que tu médico los apruebe.

- Los ejercicios para el suelo pélvico se pueden reanudar a las 24 horas del parto.

- Si has sufrido un desgarro perineal o una episiotomía, tendrás puntos y te dolerán. Consulta con tu médico cómo tratar el tejido cicatricial.

- Descubrirás que te cansas fácilmente, así que no abuses de los ejercicios. Asegúrate de ir aumentando gradualmente el programa de ejercicios, dado que aún serán evidentes muchos de los cambios físicos debidos al embarazo.

- Tus articulaciones seguirán blandas, y por tanto potencialmente inestables. Procura que los movimientos sean lentos y controlados. Evita estirar en exceso los músculos.

- Evita hacer ejercicios después de una comida.

- Antes de empezar el entrenamiento de Pilates, vacía la vejiga; te sentirás más a gusto y no tendrás que interrumpir luego el entrenamiento.

- Dale de comer a tu bebé antes de ponerte a entrenar, para evitar las molestias propias de unos pechos pesados y rezumantes, y para que el bebé no te interrumpa cuando tenga hambre.

- Presta atención a tu técnica y al modo de realizar cada movimiento. La calidad del movimiento es más beneficiosa que su cantidad.

- Si paseas cada día te resultará más fácil perder los kilos de más, mejorar tu forma cardiovascular y obtener y proporcionar a tu bebé los beneficios psicológicos que supone estar al aire libre.

- Si durante el embarazo has padecido el síndrome del túnel carpiano, puede que aún te moleste. Usa una toalla enrollada debajo de las muñecas cuando hagas un ejercicio que incremente la presión sobre ellas. Cuando empujes el cochecito del bebé, intenta colocar las manos a los lados del manillar, para evitar que empeore el trastorno.

- Cómprate un buen sujetador deportivo que te ofrezca la máxima sujeción posible. Procura que tenga tiras anchas para evitar los dolores del cuello, de los hombros y de la parte superior de la espalda. Asegúrate de que tus pechos están bien sujetos, sin zonas aplastadas en exceso ni marcas.

- Haz ejercicios que fortalezcan la zona media de la espalda. Los actos de levantar, alimentar y tener en brazos al bebé dañan la espalda. Seguir los programas de ejercicio te proporcionará un resultado excelente.

- ¡Refuerza tu postura! Practica la posición erguida, y ensaya cómo caminar con ritmo y sentarte bien (véanse páginas 14-19). En esta fase, mantener la postura correcta es esencial. Una mala postura te hará parecer mayor y más obesa.

- Bebe un mínimo de ocho vasos de agua al día, y más si estás haciendo ejercicios. Cuando amamantas a un bebé, es esencial estar bien hidratada. El alcohol y el exceso de café te deshidratarán y alterarán tus patrones de sueño.

- Cuando estés tumbada y debas sentarte o ponerte en pie, sigue haciéndolo con mucho cuidado.

- Si sientes algún dolor, PARA. Esta es la manera que tiene tu cuerpo de decirte que algo no anda bien.

PAUTAS PARA LAS PRIMERAS SEIS SEMANAS DESPUÉS DE UNA CESÁREA

- Antes de empezar un programa de ejercicios, consulta con tu médico o con tu comadrona.

- Si te han practicado una cesárea, debes seguir el programa especial (véase página 115).

- Es importante que empieces a ejercitar tu suelo pélvico lo antes posible, siempre que tu médico te haya dicho que puedes hacerlo.

- Debes evitar perder masa muscular. Si tu médico lo aprueba, empieza a caminar lo antes posible, para contribuir a tu recuperación. Esto mejorará tu circulación, lo cual acelera el proceso de curación en la zona de la incisión.

- Durante las seis semanas posteriores al parto, evita levantar mucho peso y realizar actividades muy intensas.

- Durante los primeros días tras la cesárea, limita tus actividades. Sigue tu propio ritmo, y solo después de haber consultado con tu médico.

- Tus articulaciones seguirán blandas, y potencialmente inestables. Los movimientos deben ser lentos y controlados. Evita estirar en exceso los músculos.

- Evita hacer ejercicios después de una comida.

- Antes de empezar el entrenamiento de Pilates, vacía la vejiga; te sentirás más a gusto y no tendrás que interrumpir luego el entrenamiento.

- Dale de comer a tu bebé antes de ponerte a entrenar, para evitar las molestias propias de unos pechos pesados y rezumantes, y para que el bebé no te interrumpa cuando tenga hambre.

- Presta atención a tu técnica y al modo de realizar cada movimiento. La calidad del movimiento es más beneficiosa que su cantidad.

- Si durante el embarazo has padecido el síndrome del túnel carpiano, puede que aún te moleste. Usa una toalla enrollada debajo de las muñecas cuando realices un ejercicio que haga recaer presión sobre ellas. Cuando empujes el cochecito del bebé, intenta colocar las manos a los lados del manillar, para evitar que empeore el trastorno.

- Cómprate un buen sujetador deportivo que te ofrezca la máxima sujeción posible. Procura que tenga tiras anchas con el propósito de evitar los dolores del cuello, de los hombros y de la parte superior de la espalda. Asegúrate de que tus pechos están bien sujetos.

- Realiza ejercicios que fortalezcan la zona media de la espalda. Los actos de levantar, alimentar y tener en brazos al bebé perjudican la posición correcta.

- ¡Refuerza tu postura! Practica la posición erguida, y ensaya cómo caminar con ritmo y sentarte bien (véanse páginas 14-19). En esta fase, mantener la postura correcta es esencial. Una mala postura te hará parecer mayor y más obesa.

- Bebe un mínimo de ocho vasos de agua al día, o más si estás haciendo ejercicios. Cuando amamantas a un bebé, es esencial gozar de una buena hidratación. El alcohol y el exceso de café te deshidratarán y alterarán tus patrones de sueño.

- Cuando estés tumbada y debas sentarte o ponerte en pie, sigue haciéndolo con mucho cuidado.

- Si notas algún dolor, PARA. Esta es la manera que tiene tu cuerpo de decirte que algo no anda bien.

ENTRENAMIENTO TRAS EL PARTO

Si sigues las pautas de los ejercicios esenciales durante las seis semanas posteriores al parto, y eliges el programa adecuado según el tipo de parto, podrás volver a entrenarte sin riesgo y con eficacia. Estos programas te ayudarán a recuperar y a mejorar la figura que tenías antes del embarazo. Los ejercicios de suelo pélvico te permitirán empezar muy bien, y son fáciles de practicar en cualquier sitio. Seguro que tienes ganas de perder peso y volver a recuperar la forma, pero no esperes que el peso disminuya rápidamente. Puede subir y bajar según los días, dado que el peso se ve afectado por factores tales como lo que acabas de comer, si has estado entrenándote o no, la retención de líquidos o la deshidratación. Pésate una vez a la semana, por la mañana antes de desayunar.

EJERCICIOS PARA FORTALECER EL SUELO PÉLVICO

Empieza a practicar estos ejercicios a las 24 horas del parto. Puedes usar como recordatorio cada ocasión en la que entres en contacto con agua, y practicar en grupos de cinco contracciones. Esto no solo refuerza lo que has practicado durante el embarazo, también te ayuda a fortalecer el suelo pélvico. (Ya no tienes que practicar la «Extensión diamante», dado que esta iba destinada a prepararte para el parto.)

La elevación diamante	página 32
El ascensor	página 33
La serie diamante	página 33

EJERCICIOS SUAVES PARA LAS SEIS SEMANAS DESPUÉS DEL PARTO VAGINAL

Cuando realices sin problemas este entrenamiento, puedes ampliarlo añadiendo estos ejercicios:

EJERCICIOS SUAVES PARA LAS SEIS SEMANAS TRAS EL PARTO POR CESÁREA

Antes de empezar estos ejercicios, consulta con un médico.

Cuando ya no te sientas tan cansada, o cuando quieras enfrentarte a un reto mayor, añade estos ejercicios:

SEIS SEMANAS DESPUÉS DEL PARTO

Seis semanas después de haber dado a luz a tu bebé, deberías sentirte lo bastante bien como para reanudar tu programa de entrenamiento habitual, siempre que hayas tenido un parto vaginal sin complicaciones. Si ha sido un parto por cesárea, es esencial que tu médico te dé permiso para reanudar los ejercicios.

Tu cuerpo no ha recuperado necesariamente su estado anterior al embarazo. En algunos casos, los músculos de la «tableta de chocolate», es decir, el recto abdominal, no se han cerrado aún, haberse estirado para dar espacio al bebé. Mientras ese espacio, la diástasis del recto (véase página 118), siga abierto más de dos dedos, no realices «Curl abdominal» (véase página 123) o «Desplazamiento de rodillas» (véase página 120). Haz la prueba de la diástasis para comprobar que puedes practicarlos.

Muchas mujeres padecen una depresión posparto, debida a todos los cambios hormonales que tienen lugar durante el embarazo. Las exigencias constantes del bebé, que quiere comer, que le cambien y le mezan, suelen provocar cansancio y falta de sueño, que pueden generar síntomas propios de una depresión. Quizá te resulte difícil de creer, pero ¡el entrenamiento te ayudará! El ejercicio es una actividad que mejora el estado de ánimo; por tanto, es esencial que sigas entrenándote tras el parto, para tu bienestar físico y psicológico. El método Pilates, suave y controlado, te ayudará a sentirte tranquila y fuerte, y a notar que mantienes el control.

Ten en cuenta que ahora eres madre, así que todo lo que planees deberá equilibrarse con el resto de exigencias a las que habrás de enfrentarte como persona.

PAUTAS PARA LAS SEIS SEMANAS DESPUÉS DEL PARTO

- Empieza a entrenarte lenta y suavemente, sin prisas. Usa la forma de pensar que has desarrollado durante la gestación para potenciar la consciencia de ti misma.

- Da de comer a tu bebé antes del ejercicio, porque, si no, notarás molestias y los pechos pesados, que quizá rezumen leche. También es conveniente entrenarse ¡sin tener a un peque hambriento y llorón que te interrumpa!

- Cómprate un buen sujetador deportivo que te ofrezca la máxima sujeción posible. Procura que tenga tiras anchas para evitar los dolores del cuello, de los hombros y de la parte superior de la espalda. Asegúrate de que tus pechos están bien sujetos.

- Haz sesiones cortas para no agotarte, lo cual podría afectar al suministro de leche.

- Recuerda que una serie de ejercicios cortos y relajados tienen el mismo valor positivo que un gran entrenamiento.

- Ahora ya puedes tumbarte boca abajo, así que quizá te apetezca retomar ejercicios como «La nadadora» (véase página 56) y «La cometa» (véase página 60).

- Siempre que toques agua, recuerda practicar tus ejercicios de suelo pélvico. Lo del agua es un recordatorio genial, porque, como tienes que lavarte las manos constantemente para tocar al bebé, no hay excusa para dejar de hacer 50 ejercicios cada día.

- ¡Refuerza tu postura! Practica la posición erguida, y ensaya cómo caminar con ritmo y sentarte bien (véanse páginas 14-19). En esta fase, mantener la postura correcta es esencial. Una mala postura te hará parecer mayor y más obesa.

- Si sientes que tu suelo pélvico es menos sensible que antes, un buen ejercicio consiste en meter un dedo en la vagina y probar a apretar esos músculos. Puedes realizar esta presión durante el coito, lo cual es un modo agradable de ayudar a tus partes íntimas a volver a la normalidad.

- La hormona relaxina sigue presente en el cuerpo, haciendo que tus músculos y articulaciones sean blandos. Evita movimientos muy amplios, y no estires los tendones de las corvas ni la cara interna de los muslos, dado que esto ejercería presión sobre la sínfisis púbica (véase página 12).

- Evita entrenarte después de una comida.

- Antes de empezar el entrenamiento de Pilates, vacía la vejiga; así no tendrás que interrumpir el entrenamiento.

- Bebe un mínimo de ocho vasos de agua al día, y más si estás haciendo ejercicios. Cuando amamantas a un bebé, es esencial estar bien hidratada. El alcohol y el exceso de café te deshidratarán y alterarán tus patrones de sueño.

- Márcate objetivos bien definidos. Anótalos como etapas mensuales hacia el objetivo principal, y apunta tus actividades y progresos.

- Si te han practicado una cesárea, los entrenamientos para después del parto (páginas 118-125) especificarán cuáles son los ejercicios que no debes realizar.

- Si sientes algún dolor, PARA. Esta es la manera que tiene tu cuerpo de decirte que algo no anda bien.

RECUPERAR LA FORMA FÍSICA

Ahora podrás realizar los minientrenamientos (veánse páginas 124-125) para recuperar tu figura, mejorar la forma física y la postura, y hacerte sentir como si pudieras comerte el mundo. Antes de comenzar, hay cuatro ejercicios que debes aprender, dado que los encontrarás incorporados en los entrenamientos. Esos nuevos movimientos optimizarán la estabilidad de tu faja abdominal, y añadirán variedad a tus sesiones de gimnasia.

Si te practicaron una cesárea y tu médico te ha dado permiso para empezar a hacer ejercicio, descubrirás que existen determinados movimientos en el entrenamiento que no debes realizar; ya se indica claramente que no son adecuados para ti.

Si aún padeces diástasis de los músculos rectos, no debes practicar la «Desplazamiento de rodillas» (véase página 120) o el «Curl abdominal» (véase página 123). Sin embargo, sí puedes realizar el «Curl abdominal apoyado» (véase página 122).

Aparte de los minientrenamientos, es conveniente que hagas ejercicios cardiovasculares; lo ideal es que los practiques cinco veces a la semana. Ponte una meta de media hora diaria, que puedes completar en una sola sesión, en dos sesiones de 15 minutos o incluso en tres sesiones de 10 minutos. El ejercicio que activa los músculos grandes y fortalece el corazón y los pulmones es beneficioso. Caminar es saludable y conveniente, sea cual sea tu forma física, y puedes aumentar la dificultad intentando accionar los músculos abdominales o las repeticiones. La natación es excelente, no carga las articulaciones y además puedes llevarte a tu bebé. Incluso algunas tareas cotidianas, como fregar el suelo y limpiar los cristales, tienen su lado positivo, dado que te pueden ayudar a perder los kilos de más acumulados durante el embarazo.

DIÁSTASIS DE LOS MÚSCULOS RECTOS: LA PRUEBA

- Túmbate de espaldas, con las rodillas flexionadas y los pies apoyados en el suelo y en la horizontal de la cadera.

- Coloca una o dos almohadas debajo de la nuca para asegurarte de que la cabeza y los hombros están más altos que el abdomen.

- Coloca sobre el estómago los dedos de una mano, justo encima del ombligo.

- Lentamente, eleva la cabeza y los hombros de las almohadas.

- Presiona firmemente los dedos. Si sientes que hay una separación entre las dos bandas de músculos verticales, que supere la anchura de dos dedos (o más de 2 cm), entonces existe una diástasis.

- Si no estás segura, consulta con un médico.

EL PUENTE DE LOS HOMBROS

Este magnífico ejercicio, tonificador y fortalecedor, trabaja los músculos de los glúteos y mejora la resistencia y la estabilidad de los órganos vitales. Durante el embarazo llevabas delante el peso de tu bebé, lo cual cargaba en exceso tu trasero. «El puente de los hombros» fortalece las nalgas y las corvas, estirando suavemente los cuádriceps situados en la parte delantera del muslo. Para realizar este ejercicio necesitarás una pelota blanda.

CONSEJOS

- Evita arquear la columna, y no levantes la espalda por encima de los omóplatos.

- Crea una diagonal desde los hombros hasta las rodillas.

- Al levantar las nalgas, distribuye el peso del cuerpo entre ambos pies.

Repeticiones: 5-10

1 Túmbate con las rodillas flexionadas y la pelota sujeta entre estas. Apoya los pies en el suelo, en la horizontal de las caderas. Estira los brazos a ambos lados del cuerpo, con las manos boca abajo. La columna debe estar en una posición neutra. Inspira llevando el aire a los lados y detrás del tórax.

2 Espira metiendo el estómago hacia dentro, y mantén esta contracción durante todo el ejercicio. Presiona la pelota con las rodillas, y al levantar los glúteos del suelo, apriétalos. Cuando el estómago alcance el punto más alto, inspira y luego espira mientras vas bajando el cuerpo hasta la posición inicial. Repite el ejercicio.

DESPLAZAMIENTO DE RODILLAS

Si padeces diástasis de los músculos rectos (véase página 118) o te han practicado una cesárea, no hagas este ejercicio. Se concentra sobre todo en conseguir estabilidad, y te enseñará a rotar la columna con seguridad, al mismo tiempo que la estiras. Si sostienes una toalla enrollada entre las rodillas te será más fácil mantener la alineación de la cadera con las rodillas, mientras activas suavemente la cara interna de los muslos. Para estar más cómoda, coloca una pequeña almohada bajo tu nuca.

CONSEJOS

- Durante todo el ejercicio, los pies deben estar juntos.

- Desplaza las rodillas hacia un lado, pero solo hasta el punto en que te resulte cómodo.

Repeticiones: 5-10

1 Túmbate de espaldas, con las rodillas flexionadas y una toalla enrollada entre estas. Mantén los pies juntos con las plantas apoyadas en el suelo. Extiende los brazos a los lados, un poco por encima de la horizontal de los hombros, con las palmas hacia arriba. Inspira llevando el aire a los lados y detrás del tórax.

2 Espira mientras metes el ombligo hacia dentro, mantenlo así todo el ejercicio. Apretando la toalla, desplaza despacio las rodillas a la derecha, vuelve la cabeza a la izquierda y coloca la palma de la mano izquierda en el suelo. No despegues del suelo el brazo izquierdo. Inspira y, mientras espiras, devuelve las rodillas a la posición inicial. Vuelve la cabeza al centro y gira la palma de la mano izquierda hacia arriba. Repite el movimiento con el otro lado.

LA ESFINGE

Muchas mujeres se quejan de que, durante los meses posteriores al nacimiento de su bebé, experimentan dolor en la zona lumbar. Esta debilidad en la parte baja de la espalda puede aumentar por el hecho de coger en brazos y mecer a tu bebé, y perpetuarse por la costumbre de llevar siempre al niño en la cadera. Este ejercicio, sencillo pero eficaz, fortalecerá los músculos de la zona lumbar, tus abdominales y el suelo pélvico. Lleva a cabo este movimiento lentamente y nunca lo fuerces, llegando solamente hasta el punto en que no te duela.

CONSEJOS

- Al levantar la cabeza, mantén la vista fija en el extremo de la colchoneta de delante.

- Procura que la costilla más baja permanezca en contacto con la colchoneta.

- Concéntrate en mantener los glúteos y los abdominales contraídos, para ayudarte a soportar la zona lumbar.

Repeticiones: 5-10

1 Túmbate boca abajo, con la frente apoyada en la colchoneta y los pies ligeramente separados. Si quieres, ponte un cojín plano debajo de la frente. Flexiona los brazos y coloca las manos, con las palmas boca abajo, a la altura de la cabeza. Inspira llevando el aire a los costados y detrás del tórax.

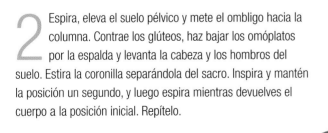

2 Espira, eleva el suelo pélvico y mete el ombligo hacia la columna. Contrae los glúteos, haz bajar los omóplatos por la espalda y levanta la cabeza y los hombros del suelo. Estira la coronilla separándola del sacro. Inspira y mantén la posición un segundo, y luego espira mientras devuelves el cuerpo a la posición inicial. Repítelo.

CURL ABDOMINAL APOYADO

No debes realizar este ejercicio hasta que tu médico te haya dado permiso después del chequeo posterior a las seis semanas del parto. Si padeces diástasis de los músculos rectos (véase página 118), esta versión del «Curl abdominal» es la que más te conviene. Pero si te han practicado una cesárea, no es bueno que hagas este ejercicio. El «Curl abdominal apoyado» es una introducción a las contracciones abdominales. Este ejercicio te ayudará a ir cerrando lentamente el espacio entre tus músculos abdominales. Para realizarlo, necesitarás una toalla.

CONSEJOS

- No levantes los hombros, podría aumentar la separación intermuscular.

- Realiza este ejercicio despacio y de forma controlada.

- Cuando levantes la cabeza, deja que la vista siga un itinerario natural, desde el techo hasta tus rodillas.

- Si sientes algún tipo de molestia, PARA.

Repeticiones: 5-10

1 Túmbate de espaldas, las rodillas flexionadas, las plantas de los pies en la horizontal de las caderas. Pon una toalla doblada debajo de la espalda, a la altura de la cintura, cruzándola por delante. Sostén ambos extremos de la toalla, con las palmas de las manos mirando hacia abajo. Inspira estirando la parte trasera del cuello.

2 Espira mientras, lentamente, metes el estómago hacia dentro. Al mismo tiempo, tira suavemente de la toalla, de modo que se tense en torno a tu estómago. Con cuidado, levanta la cabeza, pero manteniendo los hombros pegados a la colchoneta. Sujeta firmemente la toalla en torno a tus abdominales, como si fuera un corsé, para asentarlos bien. Inspira y, suavemente, regresa a la posición inicial. Repite el ejercicio.

CURL ABDOMINAL

No realices este ejercicio hasta no haber pasado el control médico posterior a las seis semanas del parto. Este movimiento no es conveniente si aún padeces diástasis de los músculos rectos (véase página 118), o si te han hecho una cesárea. Se trata de un ejercicio muy conocido; sirve para fortalecer los abdominales y evita que los músculos se abomben y sobresalgan. Las técnicas para fortalecer los músculos de la faja abdominal que practicaste durante el embarazo, favorecerán ahora que te concentres y trabajes los músculos correctos para obtener un estómago tonificado y plano.

Repeticiones: 5-10

> ## CONSEJOS
>
> - Durante el ejercicio, mantén la columna en posición neutra, y evita meter hacia dentro la pelvis y tensar los glúteos.
>
> - No flexiones demasiado los músculos, o harás que los abdominales sobresalgan.
>
> - Cuando inspires, tu vista debe desplazarse por el techo y bajar hacia las rodillas.
>
> - Procura mantener un espacio del tamaño de una naranja entre la barbilla y el pecho.

1 Túmbate de espaldas, con las plantas de los pies apoyadas en el suelo y separadas a la anchura de las caderas. Sostén una pelota blanda entre las rodillas. Pon las manos detrás de la nuca, sin enlazar los dedos, y mantén los codos abiertos.

2 Inspira y estira la parte trasera del cuello. Espira, levanta el suelo pélvico y mete el estómago. Al mismo tiempo, estabiliza los omóplatos y, sin perder el estiramiento del cuello, levanta la cabeza y los hombros. Ahora, inspira mientras mantienes planos los abdominales contraídos. Espira y deja que el torso vaya descendiendo hacia el suelo. Repite el movimiento.

MINIENTRENAMIENTOS

Estos minientrenamientos de diez minutos son ideales para una madre que tiene poco tiempo. Los cuatro programas propuestos cubrirán todas tus necesidades deportivas; en cada uno te indicamos una frecuencia recomendable. Sin embargo, si lo crees necesario, no hay nada que te impida realizar dos de estos programas en un solo día, uno por la mañana y otro por la tarde. ¡Pero no te pases! Antes de empezar un entrenamiento, haz siempre los ejercicios de calentamiento.

TABLA DE EJERCICIOS

Estos ejercicios están sacados de la sección «Ejercicios básicos» (véanse páginas 24-41). Hazlos en este orden:

Respiración con cabeza inclinada
página 29

Conector abdominal de rodillas
página 35

Separación de rodillas flexionadas y deslizamiento de piernas
página 37

Hombros arriba y abajo
página 39

Rotaciones de brazos
página 39

Inclinaciones laterales de cabeza
página 41

Ahora ya has calentado los músculos, y estás lista para empezar los minientrenamientos de la página siguiente. Estudia el programa que elijas, y aprende cómo se hacen los ejercicios.

POSTURA PERFECTA

Haz este programa tres veces por semana:

Remo sentada	página 72
Apertura de pecho	página 81
El puente de los hombros	página 119
Conector abdominal de rodillas y Conector abdominal con pelota	página 35
Curl abdominal * o Curl abdominal apoyado **	páginas 122-123
Desplazamiento de rodillas *	página 120
La esfinge	página 121
Extensión de espalda, de rodillas	página 63

TONIFICADOR DE TORSO

Haz este programa dos veces por semana:

Prensa de pared	página 48
Remo sentada	página 72
Extensión de espalda, de rodillas	página 63
Extensiones de brazo	página 49
Las puertas del granero	página 54
Curl martillo	página 99
Tonificación de tríceps	página 53
Corrector de postura	página 74

PROTECTOR DE LA ZONA LUMBAR

Haz este programa tres veces por semana:

Ondulación de columna	página 77
Conector abdominal de rodillas y Conector abdominal con pelota	página 35
Curl abdominal * o Curl abdominal apoyado **	páginas 122-123
El puente de los hombros	página 119
La esfinge	página 121
El gato	página 82
La nadadora (solo piernas)	página 56
Extensión de espalda, de rodillas	página 63

TONIFICADOR DE LA PARTE INFERIOR DEL CUERPO

Haz este programa dos veces por semana:

Arriba y abajo	página 95
El puente de los hombros	página 119
Presión con pelota	página 61
El reloj	página 84
Superwoman (solo piernas)	página 78
Extensión de espalda, de rodillas	página 63
Sentadillas de pared	página 102
Estiramiento de gemelos	página 76

* No es adecuado si padeces diástasis o te han practicado una cesárea

** No es adecuado si te han practicado una cesárea

AGRADECIMIENTOS DE LA AUTORA

Agradezco especialmente a Michael Harrison su ayuda y apoyo al escribir este libro, así como a mis pacientes, que continuamente me inspiran con su entusiasmo. Quisiera dar las gracias también al equipo de Hamlyn por guiarme y ayudarme tan amablemente, y a Mike Prior por sus excelentes fotografías. Por último una mención especial a mi familia por su paciencia y apoyo constantes.

AGRADECIMIENTOS DE LA EDITORIAL

Dirección editorial Jane McIntosh
Edición Charlotte Macey
Dirección de arte Karen Sawyer
Diseño Janis Utton
Ilustraciones Trevor Bounford
Fotografías Mike Prior
Producción Ian Paton
Búsqueda iconográfica Sophie Delpech

Gracias a Agoy por las asterillas de yoga para las fotografías.
www.agoy.com

Fotografía especial
© Octopus Publishing Group Limited/Mike Prior

Otras fotografías
DigitalVision pp. 66, 110, 116. Octopus Publishing Group Limited/Adrian Pope p. 113; /Russell Sadur p. 45. PhotoDisc pp. 9, 88